SUMA PAZ

LA UTOPÍA
DE MARIO CALDERÓN
Y ELSA ALVARADO

ELVIRA SÁNCHEZ-BLAKE

SUMA PAZ

LA UTOPÍA
DE MARIO CALDERÓN
Y ELSA ALVARADO

icono

©2021, Elvira Sánchez-Blake
©2021, Icono Editorial SAS
Carrera 28 A # 73-29
Teléfono: (57-1) 457 4089
Bogotá, D.C., Colombia
www.iconoeditorial.com

Dirección
Gustavo Mauricio García Arenas
gmgarciaarenas@gmail.com

Corrección
Ludwing Cepeda Aparicio

Diagramación
Nohora Morales Alonso

Diseño de cubierta
GMGA

Imagen de cubierta
Quebrada Negra, Páramo de Sumapaz

Fotografía de cubierta
© Iván Calderón Alvarado

Especiales agradecimientos a quienes suministraron las fotos:
la familia Alvarado, Catalina Restrepo, Andrea Rocha, Inés
Sendoya, Javier Giraldo y Juan G. Gaviria.

ISBN 978-958-5472-54-9

Impreso en Colombia
Printed in Colombia

A todas las víctimas
inocentes de la guerra
fratricida en Colombia

Elsa Alvarado

Carlos Alvarado, padre de Elsa y también víctima
del horrendo crimen, carga a su nieto Iván

Mario Calderón con su hijo en el Páramo de Sumapaz

La paz no podrá sucumbir en la espiral del silencio.
—ELSA ALVARADO

Porque el sol nunca saldrá por el norte.
—MARIO CALDERÓN

*Expreso mi gratitud a todos los
que hicieron posible este proyecto.*

*A las personas que accedieron a hablar y a confiar
en mí para contar la historia de sus amigos, sujetos de
este libro, y que se encuentran listados en las referencias.*

*A las instituciones que abrieron sus puertas para acceder
a información valiosa: el Cinep, la Comisión Colombiana
de Juristas y la Reserva Suma-Paz.*

*Agradezco especialmente al padre Javier Giraldo,
quien revisó cuidadosamente este manuscrito,
a Consuelo Pabón y a Ángela Sánchez T., quienes
se identificaron como parte del proyecto.*

*A la familia Alvarado, Elvira María, Iván, José Ricardo,
y a todos los familiares, que me abrieron su corazón.
A mis hermanos, Javier y Ángela Lucía Sánchez, por su respaldo
incondicional durante mis visitas de trabajo a Bogotá.*

*Este libro tiene una gran deuda con los grupos de escritores,
Palabreros y la Fundación Memoria Cultural de Miami.*

*Agradezco en especial a Clara Eugenia Ronderos, por ser
guía y ojo avizor en el proceso de escritura; a Humberto
Pemberti y a John Jairo Palomino, por su ayuda editorial.*

*Por último, dedico este esfuerzo a mi compañero de vida,
Robert W. Blake, por su sabio consejo, asesoría en temas
ambientales y, en especial, por su apoyo incondicional.*

A nuestra hija Victoria, por ser el faro que ilumina la vida.

Contenido

Prólogo
Una nota sobre Mario y Elsa

Francisco de Roux
Presidente de la Comisión de la Verdad

Los años pasan y la presencia de Mario y Elsa va con nosotros en medio del camino.

De Mario, recuerdo la apertura hacia la vida que lo llevó a intentar todas las experiencias sin entregar la fidelidad a sí mismo. Nos dejó la pasión por el ser humano y por la naturaleza; y una forma peculiar de buscar ese misterio que llamamos Dios, más allá de los rituales de las religiones y abierto a todos los ecumenismos. Los vecinos del barrio Sucre hicieron un pequeño parque con su nombre para recordarlo siempre cuando subían hacia San Martín, porque por todas partes los invitaba a sembrar árboles y cuidar la montaña.

Lo recuerdo en París, cuando nos contó que dos policías lo detuvieron mientras amarraba un pasacalle de tela en los Campos Elíseos contra Turbay, que viajaba por Europa, y tenía presos en las caballerizas a dos compañeros del Cinep (Centro de Investigación y Educación Popular). Los policías lo llevaron a la *gendarmerie* y él les habló con tal convicción de las torturas que se hacían en Colombia que los policías terminaron llorando, lo dejaron libre y lo acompañaron a poner el pasacalle.

Mario fue enviado por los jesuitas a la parroquia de Tierralta. Allá hizo llave con Sergio Restrepo en la lucha contra los paramilitares y la defensa de los indígenas. En 1989, los paramilitares mataron a Sergio. Estaba yo de director del Cinep y le pedí al provincial de los jesuitas que nos enviara a Mario, donde pensábamos que tendría un lugar más seguro.

Elsa había llegado al Cinep portadora de iniciativas, sugerencias e imaginación que desbordaban nuestra insistencia en los conceptos y las especulaciones sociales y políticas y los derechos humanos. Ella traía otro mundo, donde la comunicación empezaba a explorar el campo de la imagen que después correría por la web. Recuerdo su mirada intensa y su elegancia informal y alegre.

Un día Mario tomó el camino de dejar el sacerdocio en respuesta a su búsqueda interior y para continuar de otras maneras la entrega por la vida, la justicia, las culturas y la Tierra. Y otro día él y Elsa, que eran buenos amigos, se hicieron pareja. Y los quisimos a los dos y quisimos su amor como un regalo de la vida y una parábola de la aventura seria de quienes se unen con alma y cuerpo y comparten un mismo ideal de búsqueda y de lucha. Varias veces celebramos momentos inolvidables en el apartamento de Chapinero, que se llenó de ternura cuando nació Iván.

Yo estaba en el Magdalena Medio cuando me contaron que los habían asesinado. Nunca el Cinep sintió más profundamente una tragedia. Recuerdo la celebración de su partida en la iglesia de los jesuitas en La Soledad con participación de un rabino, un obispo anglicano, un imán musulmán y otras personas de diversas confesiones religiosas... Mario fue un referente de unión entre tendencias y creencias: todavía una manera de recordarlo es referirlo como el primer «obispo de oriente», título que recibía con picardía para que no nos tomáramos muy en serio.

Mario y Elsa siguen con nosotros en la gratitud con la que despertamos cada amanecer para mantener viva la esperanza.

Proemio

EL 19 DE MAYO de 1997 fue asesinada una pareja de investigadores ambientalistas, Mario Calderón y Elsa Alvarado, en su apartamento de Chapinero alto de Bogotá. En el atentado también resultó muerto el padre de Elsa, Carlos Alvarado, y herida de gravedad, la madre, Elvira Chacón de Alvarado. Iván, el hijo de Mario y Elsa, de apenas dieciocho meses, quedó ileso. Este macabro crimen fue un golpe durísimo para la sociedad colombiana de finales de los noventa y marcó un hito en lo que sería el comienzo de una serie de asesinatos a líderes, defensores de derechos humanos y personalidades que trabajaban por el bien social.

Más de veinte años después del crimen, únicamente una persona ha sido condenada; otros han sido declarados culpables, pero han quedado libres. Algunos fueron eliminados por sus propios secuaces para impedir que hablaran. Sin embargo, las preguntas que permanecen en este como en tantos otros asesinatos del quehacer colombiano son: ¿quién estaba detrás de este crimen? ¿Cuál fue la motivación? ¿Por qué ellos? ¿A quién o a quiénes les interesaba silenciarlos? A pesar de que hoy se sabe que los autores materiales fueron los bandos paramilitares de la Casa Castaño y que los ejecutantes eran sicarios de la banda La Terraza, quienes obedecían órdenes de altos mandos militares, las investigaciones dejan más preguntas que respuestas.

Los asesinatos de líderes sociales, defensores de derechos ambientales y humanos están a la orden del día. Es como un ciclo que se repite cada diez o veinte años. La persecución contra los defensores ambientales en particular se ha acrecentado significativamente en los últimos años. Obedece a una estrategia sistemática de exterminio contra todo aquel que se oponga a proyectos de explotación de recursos minerales, madereros y de generación hidroeléctrica. Esta arremetida parte de un modelo de desarrollo basado en la explotación de los recursos naturales y data de hace varias décadas, pero en 2021 se constituye en un punto de contención en las políticas geopolíticas de Colombia y del continente.

Mario y Elsa hicieron parte de la Reserva Natural Suma-Paz, una de las primeras iniciativas que pretendía instaurar una agenda ambiental de paz con desarrollo comunitario. Estos líderes dieron primordial importancia a lo que hacía falta en un país cuya historia abundaba en devastación de los recursos. El Proyecto Suma-Paz pretendía iniciar un despertar de la conciencia ambiental y social para el beneficio de todos.

Sumapaz es un territorio con dos de los ecosistemas más ricos y amenazados en Colombia: el bosque andino y el páramo. El páramo constituye la reserva más abundante en recursos acuíferos y naturales en el centro del país. El bosque de niebla adyacente es considerado uno de los pulmones esenciales de la región andina. Sumapaz es, además, el hábitat de especies de fauna y flora únicas en biodiversidad que se mantienen en excelente estado de conservación hasta la fecha. La región es, sin embargo, una fuente de conflictos de poder políticos y socioeconómicos. El Proyecto Suma-Paz, como lo denominaron Elsa y Mario, y los integrantes de la Asociación Colombiana de Reservas Naturales de la Sociedad Civil (Resnatur), conjuga la belleza, la unión y el bienestar social que representó esta pareja.

Cuando el crimen de Mario, Elsa y Carlos ocurrió, sentí una desesperanza total. Uno nunca se acostumbra a la violencia descarnada del quehacer nacional. Tal vez, adquiere una piel como mecanismo de defensa. Este crimen me afectó profundamente y por mucho tiempo he querido comprender las causas que llevaron a este desenlace.

Durante veintidós años quise acercarme a la historia, pero no era fácil. Primero, por la distancia geográfica. Segundo, por el riesgo de abocarme a descubrir verdades que nadie quiere develar. Cuando el hijo de la pareja, Iván, adquirió mayoría de edad y el crimen fue declarado de lesa humanidad, lo intenté de nuevo. Esta vez recibí el visto bueno.

Estas páginas no pretenden encontrar culpables ni aventurar teorías conspirativas. Mi intención es desentrañar la obra de Mario y Elsa desde su historia de vida a través de testimonios, documentos, entrevistas y recuerdos de quienes los conocieron, y así preservar su legado. El escrito es una crónica literaria. Se basa en los hechos reales extraídos de la documentación obtenida. Sin embargo, no está exenta de las licencias que nos permite la literatura. El objetivo es sentar un testimonio y un cuestionamiento sobre la memoria viva de esta pareja. Es, además, una forma de rendir tributo a las miles y miles de víctimas de la violencia desalmada de este país por pensar y sentir de manera diferente.

Quebrada Negra

I
AGUA

Por encima de la tierra de los Chibchas está la nada. Las montañas de este país se abren vertiginosamente al cielo y las aguas cubren la tierra entre ellas. La sabana está cubierta por el agua, y las montañas oscuras y amenazantes se levantaron de las aguas hacia la oscuridad del cielo, y la niebla envolvió todo en un manto impenetrable.

Todo esto lo vio el Todopoderoso, que era la luz misma. Entonces, envió enormes aves que ahuyentaron las nieblas y soplaron a través de sus picos aire diáfano. Y luego creó lo maravilloso y vibrante, lo Grande. Él rompió la oscuridad con su luz brillante y calentó las tierras. Y enseguida envió esta luz para que irradiara sobre las montañas y las aguas. Y se fue el agua y surgió la Sabana. Y el Todopoderoso llamó a esta luz: Sua.

Pero Sua se secó y hasta tostó la tierra de los Chibchas con su luz abrazadora y ardorosa. Fue entonces cuando el Todopoderoso hizo desaparecer a Sua detrás de las montañas y creó algo suave y blando, y llamó a esta luz Chía.

—MARIO CALDERÓN
Sumapaz, la República de las Aguas

Elsa e Iván

1. FIN DE SEMANA

ELSA SE LEVANTÓ AL ALBA. Al abrir la puerta de madera gruesa, la azotó una ráfaga de frío en pleno rostro. Observó la neblina extendiéndose sobre el fondo de montañas azuladas. De una bocanada, aspiró la singular esencia de tierra mojada esparcida por la brisa mañanera. Escuchó el caudal del río en las cercanías y sintió la energía de su corriente que serpenteaba por entre valles y cañadas llevando en su lecho la memoria ancestral del Páramo de Sumapaz.

Escuchó el murmullo quedo de su hijo, que anunciaba el despertar del día, y pensó en todo lo que tenía que hacer antes de emprender la marcha de regreso a Bogotá. Echó otro vistazo al paisaje para apropiarlo y retenerlo en su memoria. El manto de niebla se difuminaba dando paso a un rayo de sol que se filtraba por entre los árboles. Más allá, observó los nubarrones pesados que se transformaban en cúmulos nimbos presagiando tormenta. Respiró hondo y el aire frío del páramo penetró en sus pulmones. Se sintió renacida, lista para empezar el día. A lo lejos, divisó a Carmenza bajando la colina envuelta en una ruana gruesa de lana de chivo. Cargaba dos grandes cantinas de leche recién ordeñada. Le hizo un saludo con la mano y la mujer le gritó: «Buenos días, doña Elsita».

Carmenza le entregó las cantinas y le ayudó a preparar el desayuno: huevos pericos con arepa, chocolate espumoso y una ollada de café. En ese momento, empezaron a asomar los compañeros. Catalina y Juan Manuel, somnolientos y en pijama, saludaron: «Buenos días». Se oyeron los murmullos de los niños, que se despertaban alborozados. Juan Manuel se sentó a leer un periódico que encontró en la mesa. Iván hizo su aparición con su pijamita roja: un dedo en la boca y la otra mano aferrada a su trapito. Sus rizos negros desordenados le cubrían la cara. «¿Ya se levantó papá?», le preguntó Elsa. Él apenas hizo un ademán negativo.

Elsa y Catalina se sentaron con una taza de café y, de paso, aprovecharon para repasar las notas de la entrevista que le habían hecho a Mario el sábado, como parte del proyecto que adelantaban sobre medio ambiente y paz. Tenían unos minutos preciosos antes de que todos se levantaran y empezara el trasiego del desayuno y la empacada para el regreso.

CATALINA Y ELSA HABÍAN llegado con los niños el viernes anterior. Mario había dejado a Elsa con el pequeño Iván en casa de Catalina antes de las ocho. La idea era viajar temprano para evitar la congestión del fin de semana feriado. Aprovechaban que el domingo era el Día de la Madre y el lunes 13 de mayo era el Día de la Ascensión. Celebrarían en grande.

Era la primera vez que viajaban solas con los tres niños. Se tardaban tres horas de camino para llegar a Cabrera por una carretera tortuosa que rodea la montaña hasta la cumbre de la cordillera. Durante el trayecto, Elsa le confesó a Catalina que estaba preocupada.

—Imagínate que le ofrecieron un trabajo a Mario en Cali y él lo está considerando.

—¿Por qué? —inquirió Catalina. Ella sabía acerca de los múltiples proyectos que Mario y Elsa lideraban y no se imaginaba el caos que provocaría su partida.

—Yo le dije que estaba de acuerdo, aunque me muero de pensar en la sola idea de irnos. Imagínate, dejar a Sumapaz y a los amigos. Espero que sea algo temporal.

Esa confesión significaba que había pasado algo y que estaban preocupados. El Centro de Investigación y Educación Popular, Cinep, donde trabajaba Mario, se ocupaba de denunciar las violaciones de los derechos humanos ante los organismos internacionales. Sabían que estas denuncias causaban mucho malestar y había señalamientos en contra de funcionarios del Cinep. Además, sobre la cabeza de Mario pendía la amenaza nunca resuelta de los tiempos en Tierralta, Córdoba. Él había tenido que huir, luego de que los paramilitares de la Casa Castaño lo amenazaran de muerte y ejecutaran a su amigo y compañero, el padre Sergio Restrepo

Jaramillo. Todos sabían que su trabajo entrañaba una suerte de riesgo permanente.

«¿Y ustedes solas?» —les preguntó el fiel Guillermo, el guardabosques, cuando las vio llegar al sitio donde dejaban los carros. Se sorprendió de verlas sin sus maridos, con el cargamento y los chiquitos.

La camioneta se quedaba a un par de kilómetros de la casa. El resto del camino se hacía a pie por la empinada cumbre que conduce hacia el bosque de niebla. Ellas debían cargar con los tres niños, además de la nevera que contenía un pernil para el asado del domingo y bolsas llenas de verduras y frutas a granel. Llevaban además una caja entera de tequila para ambientar las rumbas. Por fortuna, Guillermo se ocupó del equipaje: cargó con la nevera de un lado y la caja de tequila en el otro. Ellas marcharon a buen paso por la cuesta con los niños de la mano y las mochilas en la espalda. Lo sorprendente era que el guardabosques se tardaba quince minutos, mientras ellas gastaban media hora larga en la subida.

Por el camino, se encontraron con los vecinos de la región. Todos las saludaban alborozados. Los abrazos y expresiones de cariño eran la norma. Se sentían acogidas. La pregunta de rigor era: «¿Don Calderetas cuándo llega?». La llegada de Mario era largamente esperada, porque él se ocupaba de los enfermos y de los sanos; de las rencillas y de las disputas; de los bautizos y de las bodas. Él tenía la palabra apropiada para casos conflictivos y la copita para sellar las paces. Era el *Obispo de Oriente* y *Caballo Viejo*, el profeta y redentor, y como tal era reconocido en los círculos que lo rodeaban.

Elsa y Catalina llegaron a la casa. A pesar del esfuerzo de la subida, se hallaban listas para empezar los preparativos del fin de semana. Abrieron puertas y ventanas y se distribuyeron tareas del acondicionamiento del lugar. La casa era una construcción de madera rústica de dos pisos. La primera planta estaba distribuida en cuatro recámaras que se comunicaban entre sí, mientras que en la parte superior había dos habitaciones amplias y un baño. En el centro se hallaba una cocina rústica que se abría a una sala-comedor amplia en medio de la cual se erguía una chimenea.

La casa fue construida por Gabriel Quiroga y pertenecía a Gabriel, Marisol y Emilio. Ellos la compartían con sus amigos como la sede comunal de la Reserva y cada pareja se había posesionado de una habitación. Ubicada en la cumbre de una colina en medio del bosque de niebla, la casa se hallaba rodeada de árboles frondosos. Un sitio paradisiaco donde abundaba la neblina y la brisa fría que bajaba de la montaña. El riachuelo corría cercano y su murmullo se escuchaba desde allí. Uno de los brazos de la quebrada llegaba hasta la casa y atravesaba uno de los baños.

Guillermo les ayudó a prender la chimenea. La lumbre ardería en forma constante con su chisporroteo de leña seca y su particular fragancia calentando los recintos y los espíritus de sus habitantes. Ellas se dispusieron a organizar los tendidos de camas y a preparar una ollada de sopa para la comida.

Catalina y Elsa se concentraron en preparar la entrevista que le harían a Mario este fin de semana. Debían encontrar el momento apropiado. Estaban desarrollando un proyecto sobre la relación entre medio ambiente y paz, y la entrevista era fundamental para la conceptualización del informe final.

En la tarde fueron llegando el resto de los compañeros. Marisol, Emilio y Gabriel arribaron al anochecer. Los miembros de la Reserva se sentaron a conversar al lado de la chimenea. Tomaron unos tragos, fumaron uno que otro cigarro y se retiraron temprano a dormir.

La toma de Venecia

El sábado por la mañana llegaron Juan Manuel, Claudia y Andrés. Venían agitados. Contaron que la guerrilla de las FARC se había tomado la población de Venecia la noche anterior. Venecia era un pueblo pequeño situado antes de Cabrera. Cuando pasaron por la calle principal vieron las troneras de las balas en la Caja Agraria y en el Centro Municipal.

Mario no llegó a la hora esperada y no tenían forma de comunicarse con él. Llamaron al Cinep, donde se suponía que tenía una reunión en la mañana. Un compañero les confirmó que, en efecto, Mario había asistido a la reunión, pero que había salido volando cuando escuchó la noticia de la toma guerrillera en Venecia. Finalmente, se apareció después del almuerzo y contó que había encontrado la población militarizada por completo. Había patrullas del Ejército por todas partes. Se le veía consternado y serio, lo cual era inusual en su carácter. Marisol cuenta que nunca lo había visto tan alterado.

Elsa le dijo a Catalina: «Entrevistemos a Mario de inmediato, porque esto después se nos vuelve fiesta». Se sentaron en un rincón de la sala, aislados del resto del grupo, y pusieron a rodar la grabadora. Comenzaron con una pregunta general sobre lo que significaban medio ambiente y paz. Mario empezó por establecer la diferencia entre el concepto de ecología y medio ambiente:

> La ecología señala el problema de los sistemas naturales. El medio ambiente, en cambio, se refiere a los problemas ecosistémicos de la naturaleza y los seres humanos: la cultura, la sociedad y la naturaleza.

Explicó que los conflictos sociales entre los actores armados, así como entre los ricos y los pobres, devienen en una relación conflictiva con la naturaleza. En Sumapaz, este desbalance se representaba en la extracción de madera y en el mal manejo del agua. En esta respuesta se conjugaba el pensamiento ecosociológico de Mario: la relación de los humanos con la naturaleza incorporando la dimensión social.

Según esta concepción, debería existir un balance entre el ser humano y los fenómenos naturales dentro de una dinámica de convivencia y armonía. No era un concepto nuevo. Se hallaba intrínseco en las cosmovisiones de los pueblos nativos de toda América.

La entrevista duró casi una hora. Mario podía hablar sin freno cuando se inspiraba. Se refirió al conflicto político que se vivía en Sumapaz con la presencia de grupos armados que desestabilizan el medio ambiente. Le preocupaba la depredación de recursos que podría derivar en escasez de agua en los próximos veinte años. Sostenía que el agua tenía la capacidad de generar conflicto, pero a la vez de propiciar las condiciones necesarias para la paz. Por eso, consideraba fundamental el desarrollo del proyecto Medio Ambiente y Paz. De forma paradójica, la presencia de la guerrilla permitía la conservación de los bosques. Era lo que Mario denominaba «conservación perversa». Mientras existió la guerrilla, no penetraron las grandes empresas extractivas.

Su sueño era convertir a Sumapaz en una zona de producción de agua como una forma de contrarrestar la violencia armada con propuestas ambientales de desarrollo y convivencia pacífica.

La discusión sobre los temas que lo apasionaban le permitió relajarse. Al término de la entrevista, los tres se dispusieron a disfrutar del paseo.

El río sagrado

Esa tarde salió un sol radiante y bajaron a la quebrada. Se bañaron en el agua helada y se confundieron entre risas y un gozo tribal. El baño en el río era una ceremonia obligada para los miembros de la Red de la Reserva de Suma-Paz. En aquel ritual se cimentaban sus doctrinas como ambientalistas, enamorados de la naturaleza, del aire, del agua, de los árboles y la neblina. Así lo consignaba Mario en su *Manual de la República de las Aguas*. Hacía parte de su misión como portadores del mensaje de sus ancestros muiscas, Bachué y Bochica, seres legendarios a los que rendían culto a través de su activismo ambiental.

El río era esa serpiente sagrada que evocaba a Bachué. Era también un manantial de aguas claras y prístinas provenientes del páramo, surtida por los frailejones y las fuentes que nacen en la cúspide del cerro. Algunos de los compañeros se bañaban al natural; otros metían los pies simplemente, pero todos debían sentir el abrazo gélido del caudal que encierra el misterio del páramo de Sumapaz.

Para Marisol, caminar por Sumapaz era como penetrar en un éxtasis colectivo. Reconocían la biodiversidad en cada planta, hojas, flores y piedras.

Íbamos observando las esponjas de agua, mirando los ecosistemas y bosques de agua por los cuales caminábamos. Sabíamos que no podíamos pisar duro ni hablar en voz alta para no alternar el entorno. Mientras caminábamos, nos reconocíamos en esos ecosistemas, que además cuidábamos. También nos veíamos como personajes que podíamos convivir de otra manera y entrelazarnos con armonía.

El ritual con el agua era fundamental en la Reserva de Suma-Paz. «Cuando nos bañábamos en las cascadas heladas entrábamos en una especie de trance muy intenso donde nos conectábamos con el cosmos», relata Marisol. «Era una especie de locura controlada muy creativa que mostraba un espíritu intenso de conexión y sincronía. Frente al agua, teníamos un respeto enorme. Desde esa época, hablábamos de que la próxima guerra sería por este recurso que parecía inagotable, pero que no lo era. Veíamos toda la magia que las fuentes naturales ejercían sobre nosotros».

Cuando regresaron al caer la tarde, empezó la fiesta. La rumba y la política se entremezclaban cuando se enfrascaban en discusiones alrededor de la chimenea. Catalina puso sobre la mesa el tema que la ocupaba: ¿puede existir paz cuando se destruye el ambiente? Ese era el meollo del debate y la lucha que acometieron desde que algunos de ellos habían trabajado en la nueva Constitución de 1991. Gracias al trabajo de los ambientalistas impulsados por Luz Beatriz Gaviria con Manuel Rodríguez Becerra y Gustavo Wilches, y, por supuesto Mario, se había creado el Ministerio del Medio Ambiente y se habían expedido las Leyes del Sistema Ambiental en 1993. Más adelante su labor y persistencia habían logrado la creación del Ecofondo. Eran resultados concretos de los acuerdos que se habían logrado tras la Primera Cumbre Ambiental en Río de Janeiro de 1991 sobre la importancia de las políticas ecológicas y que poco a poco iban calando en la conciencia de la gente. Sin embargo, en muchos círculos las políticas no eran bien recibidas. Los madereros de Sumapaz los veían con recelo. Las grandes corporaciones que anhelaban convertir a Sumapaz en la república de las represas hidroeléctricas los consideraban un estorbo. Los ecologistas de la Red de Reservas Naturales eran vistos como una molestia para el sistema, que veía ganancias en el potencial de una región poblada de árboles y con abundancia de fuentes naturales.

Esa noche Mario se retiró temprano. Era un comportamiento insólito que sus compañeros notaron con inquietud. «¿Qué le pasa a Mario?». Si él se retiraba primero, era porque algo no estaba bien. Marisol cuenta que se quedaron como media hora más con el espíritu decaído y con el presagio de un mal augurio. «Pienso que él percibía algo, aunque no lo percibiera racionalmente», dice al recordar los eventos de ese fin de semana.

El tarot

El lunes partieron después del desayuno. Los huevos pericos con chocolate y arepa fueron substanciosos para el cuerpo y alma. Catalina recuerda a Mario persiguiendo al pequeño Iván con un pocillo de huevo tibio, intentando en vano que el niño se lo comiera. No podía creer que ese hombre que cautivaba con su don de palabra y su aura de heresiarca sucumbiera ante el poder de un niño de apenas un año y medio.

Antes de marcharse, Mario le pidió a Marisol que le leyera el tarot. Marisol cuenta que ya todos habían salido y, por alguna razón extraña, ellos se quedaron solos. Mario sentó al niño encima de la mesa grande del comedor y ella se dispuso a hacer la lectura. El tarot salió fatal, solo espadas, se acuerda Marisol, como una memoria indeleble. «Yo acostumbro a hacer varias lecturas. Para mí, es ver cuáles son las condiciones y cómo modificarlas y transformar la energía alrededor».

—Por favor, hazlo otra vez —pidió Mario.

Marisol lo lanzó de nuevo y salió igual: espadas.

—Las cosas están muy mal —le dijo.

Mario se quedó en silencio y pareció encerrarse en sí mismo olvidándose del entorno. Según Marisol, ese último instante que compartieron con Mario tuvo un elemento energético extraño: «Hubo como una suspensión del tiempo, un letargo, un no querer movernos. El tiempo se detuvo. Fue algo que no sé explicar».

Poco después bajaron en grupo hasta Cabrera cargados con todo el equipaje, las neveras y las cajas desocupadas. Al llegar al sitio donde estacionaban los carros, Guillermo le ayudó a Mario a meter las cosas en la parte trasera del *jeep* blanco. Los vecinos les dijeron adiós y arrancaron en caravana. Juan Manuel y Catalina iban adelante en la camioneta Toyota; Claudia y Andrés los seguían en el Nissan; Mario y Elsa, de terceros en el *jeep*; Marisol, Gabriel, Emilio y Rosario, en el campero Willys. En el pueblo les dijeron: «No se vayan por el páramo. La situación no está como para irse por ese lado». Decidieron tomar la vía de Fusa. Calculaban una hora de camino desde Cabrera hasta Fusa. De allí se sigue subiendo la cordillera por Silvania hasta llegar al embalse del Muña en el lindero de la Sabana que conduce a la entrada de Bogotá por el sur. De seguro, habría trancón en Soacha. Tendrían que apurar el paso para evitar las congestiones que se forman sin falta los lunes festivos cuando todo el mundo regresa a empezar la semana laboral.

Cuando llegaron a Cabrera, les pareció extraño no ver a nadie en la plaza. Algunos de ellos se bajaron a aprovisionarse de frutas y golosinas que solían comprar en el mercado. Cuando notaron que la plaza se encontraba vacía, recordaron los recientes eventos y comprendieron que era mejor seguir adelante. «Estos son territorios que han sufrido mucha violencia y, por lo tanto, se ve mucho control policial y militar. Además, están los informantes de la guerrilla y de los distintos bandos, siempre alertas. Uno se mueve en un río revuelto en donde no sabe bien dónde está parado», apunta Marisol. Una vez más, experimentó la sensación de tiempo detenido, como una imagen congelada en una película al observar a Mario y a Elsa aferrados de las manitos de Iván en la plaza de Cabrera. Nunca se imaginó que no los volvería a ver. La caravana de carros se dirigió a Venecia, donde se detuvieron en una tienda. Allí se tomaron un refresco con almojábanas y se dijeron adiós. Chao, chao, nos vemos. «Fue la última vez que los vi», recuerda Claudia.

El retén

El cielo se oscureció y los nubarrones amenazaban con desplomarse de un momento a otro. Empezaron a caer goterones. Antes de tomar la troncal, se encontraron con un retén militar a la salida de Venecia. El procedimiento habitual era revisar que llevaran los documentos en regla. Sin embargo, los oficiales detuvieron el *jeep* y les pidieron a Mario y Elsa que se bajaran. Mario trató de resistirse. La lluvia arreciaba y las ráfagas de viento golpeaban con intensidad.

—No hace falta, mi teniente. Aquí tiene los papeles del carro.

—Haga lo que le digo, esta es una requisa oficial.

Elsa le hizo cara de paciencia, mientras abrazaba al niño y lo cubría con un impermeable para protegerlo de la lluvia. Los militares se demoraron en la requisa de Mario, que chorreaba sin protección alguna. Luego escudriñaron detalladamente el campero. Elsa detectó que había algo más. Esta no era una requisa común: el oficial hizo abrir la cubierta y anotó el número de motor, las placas y el modelo del vehículo.

Mario puso cara de pocos amigos cuando el uniformado finalizó la requisa y le preguntó sus datos personales: cédulas de identidad, números de teléfono, dirección de domicilio, ocupación de los dos, sitios de trabajo. En su habitual tono de bromista, Mario se atrevió a desafiar:

—¿Qué más quiere, mi teniente?, ¿la declaración de renta?, ¿el certificado judicial?

—¡Obedezca! —ordenó con voz grave.

Mario se rio con sarcasmo y le dio los datos que pedía. El hombre los anotó en una libreta.

Cuando arrancaron, Mario estaba totalmente descompuesto. «¡Qué bruto, qué bruto! ¡Cómo fui a darles la dirección!». La preocupación aumentó cuando se percataron de que al resto de compañeros los dejaron pasar sin problema.

Catalina y Juan Manuel se dieron cuenta de que los habían detenido y los esperaron más adelante. Cuando los alcanzaron, les contaron lo sucedido. Elsa dijo: «Lo más raro fue que nos preguntaron la dirección de la casa. Les dijimos que éramos de la Reserva de Suma-Paz». Todos quedaron consternados.

Se despidieron y emprendieron el trayecto a Bogotá en silencio. Elsa advirtió el desasosiego de Mario. No era la primera vez que lo veía así. Desde hacía un tiempo, sospechaba que los seguían. Había tipos que se aparecían de pronto al salir de la oficina o gente que los miraban desde autos misteriosos con caras de pocos amigos. Mario le contó que unos de los vecinos de la zona lo habían prevenido. Andaban preguntando por ellos y por sus actividades en Sumapaz. Tras un rato de silencio, Mario exclamó:

—¿Sabes? Creo que voy a aceptar el puesto que me ofrecen en Cali.

Elsa estuvo de acuerdo. Con esa convicción que les daba una seguridad efímera, y en medio de un aguacero despiadado, llegaron a su apartamento al caer la tarde.

Esa noche Mario llamó al padre Javier Giraldo y le dijo:

—Javier, se me fueron las luces. La embarré por haberle dado mis datos al Ejército. Pienso que estoy en peligro.

Javier, un hombre de temperamento calmado, se alteró muchísimo. Le respondió,

—¡Tienen que salir ya del país! Esto no es chiste.

Esa misma noche, Javier empezó a hacer los trámites para sacarlos del país, pero no le alcanzó el tiempo.

2. MARIO Y ELSA

Ella apareció en un palmar, a la hora de las garzas, en medio de
una ceiba y un camajón. La ceiba no era la más alta, pero sí tenía
uno de los troncos más torneados de aquella colina. Aunque no
miraba al camajón, ni al horizonte ni a nada, su ramaje era capaz
de proporcionar frescura. En cambio, el camajón mantenía atentos
sus grandes ojos... De noche, se parecía a los árboles estandartes de
los cuentos de hadas. A pesar de la apariencia ordinaria de su corteza,
el camajón guardaba en su centro un corazón tierno, de sabor dulce.
Por eso la palmera le tuvo siempre un afecto muy hondo.
—MARIO CALDERÓN

CUANDO MARIO Y ELSA se conocieron, tenían todo en su contra.
Mario era un exsacerdote jesuita, quince años mayor que Elsa, con
fama de disidente, heterodoxo y anarquista. Elsa era casada. Aunque estaba separada hacía unos años de su marido, el vínculo legal
estaba vigente. Cuentan los rumores que ellos se encontraron muchas veces en los pasillos y en la cafetería del Cinep. No fue amor
a primera vista. Fue un largo proceso de reconocimiento, admiración y de aceptar que «cuando el amor llega así de esa manera, uno
no tiene la culpa», como proclamaba la canción favorita de Mario,
quien se hacía llamar *Caballo Viejo*.

Al principio se limitaban a miraditas de soslayo mientras
discutían el próximo artículo de la revista *Cien Días*. Luego se
encontraban en la cafetería de manera que pareciera casual. Elsa
había ingresado como la comunicadora del Centro y este era su
primer trabajo en una institución de esta categoría. Mario, en
cambio, era veterano. Él había sido uno de los primeros que entró a trabajar en los años setenta. El Centro de Investigación y
Acción Social (CIAS) había sido fundado a mediados de los sesenta. Una década más tarde, llegó un grupo nuevo de jesuitas,
formados la mayoría en Alemania, le dieron un aire nuevo y lo
convirtieron en el Centro de Investigación y Educación Popular

(Cinep). Mario en ese momento estaba en la etapa de Magisterio y fue destinado a colaborar en la coordinación del Instituto de Estudios Sociales (IDES), que hacía parte del Centro.

Elsa admiraba a este cura anárquico con barba de bucanero que atendía en una hamaca en su oficina y que se fumaba un pito después de almuerzo a la vista de todos y sin remilgos. Mario la observaba de reojo deslumbrado por esa melena que caía sobre el rostro en rizos desordenados y la sonrisa amplia que todos relacionaban con Julia Roberts, y a él le parecía un golpe certero de seducción. Los compañeros comenzaron a ver con suspicacia a esta pareja que irradiaba un aura de resplandor. Sin embargo, Mario estaba en el proceso de dejar el sacerdocio y Elsa estaba saliendo con otro compañero del Cinep.

Elsa no estaba lista para una relación seria. Hacía poco tiempo se había separado de su marido. Todavía no se reponía de las secuelas de un matrimonio tortuoso. Habían sido dos años de intensa agonía intentando prevenir el derrumbe silencioso de un hombre a quien había prometido amar toda su vida.

Mario acababa de regresar de Tierralta, Córdoba, desilusionado de la Iglesia y cargado de dudas sobre su vocación religiosa. La experiencia de injusticias y de violencia que vivió esos dos años fueron apabullantes para su espíritu de justicia social y pacifismo. Sus heridas eran hondas y no se reponía del dardo profundo que representó el asesinato absurdo de su compañero, el padre Sergio Restrepo. Fue en esa época que decidió apartarse de la Compañía de Jesús y se fue a vivir con un grupo de amigos a La Candelaria.

Así que cuando veía a Elsa por los pasillos del Cinep, con sus atuendos llamativos y escuchaba su carcajada, experimentaba un soplo de brisa fresca. En las reuniones de comités, aprovechaba para impresionarla con su verbo fácil y erudición sobre todos los temas.

—Como buen paisa, Mario me enamoró con la palabra —confesaba Elsa.

Ella no se quedaba atrás en su despliegue de conocimientos y su aguda percepción crítica sobre todos los asuntos.

—Están mejorando el personal del Cinep —apuntaba Mario.

Pero existían otros factores. Los jesuitas del Cinep no estaban dispuestos a aceptar una relación visible de esta naturaleza. Para Elsa no sería fácil presentarlo a su familia que, aunque de mente abierta, no consentirían una relación clandestina con un sacerdote, aunque estuviera en vías de dejar los hábitos. Ella tampoco lo aceptaría así. Un factor aún más relevante era saber que Mario había huido de Tierralta perseguido y amenazado por los paramilitares de Córdoba.

Fue en esa encrucijada que se encontraron dos seres que compartían la alegría y la irreverencia. Sobre todo, practicaban un acendrado sentido de acción social y de sensibilidad hacia causas justas consideradas «subversivas», como son la defensa del agua, la naturaleza y el medio ambiente.

3. MARTES

Amigos e hiperojopías

EL MARTES MUY TEMPRANO Elsa se encaminó a la universidad Externado a dictar sus clases como acostumbraba. Había dejado a Mario en cama porque él amaneció con malestar gripal. No era solo la lluvia, sino la desazón de la experiencia del retén, la que se había colado en sus huesos y en su espíritu. La noche anterior Elsa había llamado a sus padres para pedirles que vinieran ese fin de semana y le ayudaran con el niño. El martes siguiente tenían planeado el viaje a Urabá con Catalina. Además, sería la oportunidad de celebrar el cumpleaños de su mamá y el día de la madre atrasado.

No se reponía de los eventos del fin de semana. El asunto del retén la había dejado muy preocupada. Deseaba hablar con alguien que la tranquilizara. Nunca había experimentado temor, pero sentía que su estabilidad corría peligro. Pensó en llamar a Juan Manuel, quien siempre estaba atento a escucharla o a Ángela, su amiga incondicional. Ambos eran amigos de la universidad y siempre habían sido su refugio.

Tras meditarlo un rato mientras conducía, decidió no alarmarlos a ellos porque nada podían hacer. Mejor llamaría a su amiga Claudia, quien residía en Suiza. Javier Giraldo fue enfático en que debían salir del país. Tal vez Claudia podría ser de ayuda. Cuando llegó a la universidad se encerró en su oficina y desde allí hizo la llamada internacional.

Claudia le respondió afable con la alegría de escuchar su voz. No tenían mucho tiempo, así que Elsa le soltó sin preámbulos.

—Creo que estamos en peligro, Claudia.

—¿Cómo así? ¿Qué pasó?

—Hemos recibido llamadas extrañas y han sucedido varias cosas… —pronunció Elsa. Sin embargo, algo le impidió contarle sobre el episodio del retén y se limitó a decir:

—No es nada en particular. No es grave.

Claudia reaccionó:

—Sí, es grave. Deberíamos denunciar ante las organizaciones internacionales. Yo aquí puedo ir a Naciones Unidas, puedo hablar con gente en el Parlamento Europeo. ¡Hay que hacer algo!

Elsa respondió con una risa que cargaba un tono de tristeza:

—No, no, Claudia. No hace falta. No es para tanto.

Claudia trató de insistir, pero Elsa prefirió desviar la comunicación. Tampoco le dijo que lo que necesitaban era salir del país. Alegó que tenía clase y se despidió con la promesa de llamarla pronto de nuevo.

Elsa se recostó contra el respaldo de la silla en su despacho y miró por la ventana. Vio las filas de estudiantes que ascendían por las calles y colinas del Externado con sus morrales en sus espaldas. Se vio a sí misma recorriendo esas mismas aulas hacía más de una década. Recordó cuando inició sus estudios de Comunicación Social y caminaba por esos mismos pasillos con sus sueños intactos.

ELSA IRRUMPIÓ EN LA UNIVERSIDAD llena de expectativas ante el mundo que se abría a sus pies. Allí conoció a cuatro estudiantes que habrían de ser sus amigos eternos: Ángela, Claudia, Juan Manuel y Mario, el cantante de bolero ranchero, a quien llamaban «el Mono». Conformaban el grupo de los superpilos y rumberos. Brillaban por ser inteligentes, risueños, críticos, musicales y muy creativos. Querían romper con los esquemas impositivos de pensamiento, los estereotipos, clichés y lugares comunes. Sobresalían por ser inquisitivos, originales y curiosos. Los profesores los querían, pero también los respetaban. Eran burleteros, mamagallistas, con un humor ácido e irreverente que subvertía los dogmatismos de las extremas derechas y de los marxismos ortodoxos. Fue una época de aprendizaje, exploración, maduración, pero sobre todo de mucha carcajada.

La última vez que estuvieron todos reunidos fue en una visita que Claudia hizo a Colombia en 1995. Ambas estaban embarazadas. Se encontraron en la casa de los padres de Claudia para un almuerzo de amistad. Los otros miembros del combo también acudieron a la cita. Durante la comida surgieron las remembranzas de la época de universidad. Eran tantas las aventuras que habían compartido. En medio de la algarabía en la que los cinco se arrebataban la palabra y hablaban uno sobre otro, Mario Calderón intervino para preguntar:

—¿Y cómo fue que se conocieron?

Claudia contó que desde la primera semana de clases se hicieron evidentes sus intereses comunes. Fue como una chispa de reconocimiento. Todos eran muy distintos, pero se encontraron en las risas, lo cantos, en la sensibilidad social, en las inquietudes artísticas e intelectuales, en el espíritu crítico y sediento de pensamiento innovador y libertario. Ninguno se sometía a formalismos, dogmas ni etiquetas políticas.

Elsa llamaba la atención por su estilo particular: alta, hermosa, erguida, de sonrisa generosa, muy femenina, vanidosa y detallista, cabello rizado sobre la frente, aretes grandes y pañoletas. Su cadenciosa manera de vivir su cuerpo, heredada de los pocos años adolescentes vividos con su familia en el Caribe venezolano, resaltaba y contrastaba con las ruanas bogotanas de sus compañeros chachacos.

—Éramos muy distintos, cada uno tenía su propio estilo y esa diversidad nos enriquecía y divertía muchísimo —comentó el Mono—. ¿Te acuerdas cuando salíamos de clase y durábamos horas charlando y cantando en la amplia cafetería del Externado y en las calles de La Candelaria?

Juan Manuel recordó el complejo contexto histórico de aquella época:

—En Colombia, agonizaba el gobierno de Turbay Ayala, con su represivo Estatuto de Seguridad; se abrían paso movimientos ciudadanos y estudiantiles de oposición, surgía el movimiento ambiental, pero también la subcultura del narcotráfico y las nuevas formas de violencia. En el plano internacional, teníamos el movimiento *hippie* a cuestas, estaba en boga la Guerra Fría y las pugnas por el poder mundial.

Elsa y Ángela comentaban el hecho de que afortunadamente les tocó pertenecer a una «generación sándwich» entre el hipismo y los «yupis»; entre el oscurantismo godo, machista, represivo y violento, y la apertura al feminismo, el pacifismo, la equidad y la libertad. Y también la generación de transición entre las «izquierdas fundamentalistas» y las nuevas corrientes de pensamiento crítico con las que se sentían más identificadas, inspiradas por Mayo del 68, Foucault, Deleuze, Carl Jung, Marcuse, Roland Barthes…

El Externado ha sido una institución reconocida por ser el centro de formación de los legisladores en Colombia. En la Facultad de Comunicación Social, los amigos se dieron cuenta de que se comunicaban mejor desde la irreverencia, la burla y el sarcasmo. Las clases de Semiología y Semiótica tuvieron un efecto especial en Elsa y sus compañeros, porque descubrieron el poder del lenguaje simbólico y de los metalenguajes.

—En esa burla nos fuimos encontrando —recalcó Juan Manuel—. Éramos los cinco mosqueteros. Hacíamos los trabajos y los exámenes, estudiábamos y rumbeábamos. Sacábamos las mejores calificaciones, aplicábamos como búmeran lo aprendido en clase y teníamos la sensibilidad que nos permitía crear. ¿Se acuerdan de las hiperojopías?

Todos se echaron a reír al tiempo a la mención de las hiperojopías. Mario Calderón quiso saber más, ¿qué eran las híper qué?

Ángela explicó que se trataba de una especie de *performance*, pantomimas o *happenings* improvisados sobre la marcha del divertimiento creativo, que pretendían despertar algún tipo de universo distinto, de lógicas libres, ruptura de lenguajes convencionales, provocación hacia nuevas dimensiones de expresión. La hiperojopías rompían la rutina académica, los horarios de clases, la reverencia hacia la jerarquía institucional. Eran como utopías instantáneas en versión lúdica.

Claudia intervino para destacar el significado de las hiperojopías como «super ojos vigilantes».

—Llegábamos a un salón de clases escogido al azar, y cuando el profesor abría la puerta le decíamos: «¿Nos permite un segundo?». Con su venia, subíamos a la tarima con un cartel que decía «COMPAÑEROS» y empezábamos a balbucear con los labios:

blrrr, blrrr, como cinco minutos. Luego pelábamos un banano en medio de ambiguos gemidos de severo dolor y placer.

Ángela añadió:

—Otra vez invocamos cantos de misa con textos de las clases de Economía, burlándonos de Milton Friedman. Al final, mostramos el otro lado del cartel: «Esto es paja, todo es mentira». Y, sin más, nos marchábamos muertos de la risa.

Los estudiantes y el profesor quedaban sorprendidos, confusos y divertidos. El Mono relató, entonces, su hiperojopía preferida:

—Irrumpimos en el salón de clases con globos de colores. Los lanzamos al azar para que cayeran entre los alumnos. Ellos empezaron a jugar y a arrojarlos entre los mismos compañeros. Se volvió un relajo completo. Algunos profesores se escandalizaban, otros se sumaban tímidamente al cuento.

Todos se rieron al recordar estos juegos simbólicos. El padre de Claudia comentó en tono socarrón que por fortuna no se había enterado de estas aventuras, una vergüenza siendo hijo de uno de los alumnos fundadores del Externado.

—Entonces, en la universidad ustedes le dieron a la rumba, a la semiología y a la mamadera de gallo una dimensión revolucionaria a través de las hiperojopías —concluyó Mario.

En ese punto, Elsa intervino:

—Tampoco le jalábamos a las organizaciones políticas, el MOIR y la JUCO, y a todas las que nos querían afiliar a sus grupos. Siempre mantuvimos una visión crítica, defendimos nuestra independencia de ideas y de corrientes de pensamiento, y no militamos en ningún partido.

—Nosotros tratábamos de generar ideas, no éramos de los que obedecían —agregó Claudia.

Todos estuvieron de acuerdo. Se hizo un silencio y Elsa pensó en las circunstancias de su vida. Ella siempre se mantuvo en una posición crítica, pero alejada de posturas políticas extremas, jamás se afilió a ninguna ni se dejó identificar con etiquetas.

Al terminar el almuerzo y pasar a la sala, Elsa le pidió al Mono que cantaran el bolero «Algo contigo». La música había sido uno de los puntos de encuentro fundamentales del grupo. Juan Manuel y el Mono habían participado en un grupo de música andina llamado Icabuco, que se presentaba en sitios como Arte y Cerveza, Quiebracanto y hasta en la Media Torta.

Cuando se reunían informalmente, los cinco hacían un conjunto de voces maravilloso. Cantaban tonadas de Silvio Rodríguez, Pablo Milanés, Armando Manzanero, Nino Bravo, Mustakí... Aprendieron apartes de Carmina Burana y sones de Aretha Franklin. Amaban a Les Luthiers, el conjunto argentino de música lírica y humor sarcástico, cuyo repertorio se aprendieron de memoria y coreaban en sus conciertos en Bogotá.

Elsa cantaba lindo y compartía con cada uno sus distintivos gustos musicales: las rancheras y boleros del Mono; la música folclórica y las obras corales de Juan Manuel; Serrat, Mustaki y otros cantautores con Claudia, y el repertorio roquero que cantaba de memoria con Ángela: Pink Floyd, Queen, Joan Baez, Cat Stevens, Don Mclean, John Denver...

Mientras cantaban, recordaron la pasión que desarrollaron en esa época estudiantil por el cine y la literatura. Mencionaron a los profesores que fueron guías y mentores en su formación como Germán Rey, Beba de Mazullo, Germán Muñoz, Gilberto Bello, Armando Silva, entre otros escritores y columnistas reconocidos. Desde esa época, Elsa y sus amigos eran lectores voraces. Leían filosofía, novela, cuentos, poesía. Se encantaron con Borges, Cortázar, Foucault, Umberto Eco, Estanislao Zuleta, Ítalo Calvino y muchos otros grandes autores.

Uno de los recuerdos entrañables de esa época fue su primer viaje al Parque Tayrona en unas vacaciones de enero, convocados por Elsa, viajera Sagitario siempre lista a pasear. Fue una inolvidable aventura de exploración por la naturaleza imponente del biodiverso Caribe colombiano. Acamparon dos semanas en la playa Cañaveral, visitaron reservas de bosque húmedo tropical frente a playas espectaculares, llegaron hasta Pueblito y Ciudad Perdida, algunas aldeas de los koguis, arahuacos y otros pueblos enclavados en la Sierra Nevada, de quienes admiraron su cosmovisión basada en la compenetración del hombre con la naturaleza.

Ángela recordó cuando los cinco caminaban por las playas cantando composiciones inventadas que surgían espontáneas. Sin pensarlo, entonó la línea emblemática que todos recordaban: «¡Tagangaaa, Tagangaaa!».

Elsa respondió: «¡Playa Blancaaaaa!».

Los demás se unieron en el coro que acompasaba la melodía con sonidos de percusión. Al final, soltaron la carcajada.

Elsa y Ángela recordaban con suma emoción esas caminatas por las playas donde entonaban a voz plena canciones recién inventadas mientras payaseaban como parte del escenario que fundía el mar, el cielo azul y la energía que emanaba de sus cuerpos jóvenes y aventureros.

El Mono declaró que ese había sido el paseo más maravilloso de su vida:

—En el *camping*, los otros turistas nos invitaban porque éramos los músicos. Hacíamos fogatas en la noche y nos poníamos a cantar hasta el amanecer. Elsita se enloquecía con Silvio Rodríguez y entonaba con suma emoción «Ojalá». ¿Te acuerdas?

Elsa aprovechó para pedirle que tocara la canción y terminaron todos entonando «Ojalá que las hojas no te cubran el cuerpo cuando caigan, para que no las puedas convertir en cristal...».

El timbre del teléfono interrumpió sus pensamientos. Elsa vio la hora que marcaba el reloj de pared. Cuarto para las diez. Apenas tenía tiempo de llegar a su clase. Alzó el auricular: *¿Aló, aló?* Silencio. Repitió nuevamente. *¿Aló?* Nadie al otro lado de la línea. Colgó. La recorrió un escalofrío. No era la primera vez que recibía este tipo de llamadas, pero nunca en su lugar de trabajo. ¿Era una amenaza o un aviso? Salió de la oficina y se encaminó a su clase por los corredores del Externado. La conversación con Claudia la había dejado intranquila y ahora esa llamada. Pensó en comunicarse con Juan Manuel o Ángela. Los llamaría más tarde. No, tal vez no. Prefería no comprometerlos con sus problemas. Al entrar a dictar su clase esa mañana, apartó sus pensamientos hacia el tema del día, los medios en la opinión pública.

Concientización

El martes por la mañana Mario amaneció con una fuerte gripa que lo obligó a quedarse en casa. Canceló varias reuniones que tenía agendadas en el Instituto Distrital de Cultura y Turismo, y otras citas con los delegados del barrio Las Delicias en Chapinero. También tuvo que posponer una reunión con Catalina sobre un proyecto de legalización de la droga.

El malestar le impedía pensar con claridad. Trataba de recordar las tareas pendientes, pero no podía alejar de su mente lo ocurrido en el retén al regreso de Sumapaz. Las palabras de Javier Giraldo resonaban: «¡Hay que salir del país ya!». Pero por qué tanta alarma. Ellos no tenían visibilidad mediática. Estaban amparados por ser parte de una institución como el Cinep. Además, vivían resguardados en la ciudad. Era verdad que los campesinos le habían dicho que andaban preguntando por ellos. «En cañadas más oscuras me ha cogido la noche», pensó, rememorando un dicho paisa que su padre solía mentar cuando las cosas se ponían difíciles.

Elsa había salido con el niño temprano y tenía el apartamento solo para él. Recordó sus días de soltero, bueno, no de soltero, pero de sacerdote, cuando gozaba de libertad para leer, escribir, meditar y orar. Ese entorno le permitía las condiciones ideales para hacerlo: silencio y concentración. El malestar no era impedimento. Se tomó una taza de agua de panela con bastante limón y se dispuso a trabajar en el proyecto que más le apasionaba en el momento: revisar su tesis de doctorado para publicarla.

Hacía poco había llegado a la oficina de Camilo Borrero, compañero y amigo del Cinep, y le había puesto su tesis en el escritorio.

—Viejo Ca, aquí le dejo el mamotreto de mi tesis. Quiero que le dé una mirada y me diga si está muy *ladrilludo*. La idea es publicarla.

—¿Por qué ahora? —le preguntó Camilo.

—Mire, hermano, cuando yo andaba con lo de la tesis, el provincial estaba muy preocupado. Yo me reuní con él y le prometí que nunca la iba a publicar, y me dejó seguir hasta graduarme. En este momento, ya no me importa. Ahora las cosas son diferentes.

Ya esa es una historia del pasado. Con todos esos análisis que están saliendo ahora sobre la época, creo que hay algo que vale la pena en esas páginas.

Camilo estuvo de acuerdo. La recomendación fue:

—Quítele el pesado fardo de disertación. Retrabájelo, aligere el estilo, actualícelo.

Mario prometió hacerlo. El repaso de sus notas le traía recuerdos de su juventud, aquella época de concientización política y social. En cierta forma, la tesis era una exploración autobiográfica en la que él aparecía en tercera persona disertando sobre lo que debería ser el papel de la Iglesia frente al pueblo. La tesis sostenía que Camilo Torres, en su calidad de profeta, había logrado crear una doctrina que permanecía aún después de su muerte. El planteamiento defendía su legado y lo aplicaba al trabajo realizado en varias parroquias, siguiendo el modelo de cristianismo que proponía el cura rebelde.

Mario había nacido en Manizales en el seno de una familia numerosa. A muy corta edad, quedó huérfano de padre y madre. Para encauzar su personalidad arrolladora, ingresó en el seminario de la comunidad jesuita de La Ceja, Antioquia. Con solo quince años, Mario encontró en la Compañía de Jesús el cauce a su pasión por las luchas sociales y la respuesta a su sed intelectual.

Conoció a Javier Giraldo cuando ambos ingresaron a la facultad de Ciencias Eclesiásticas de Bogotá para terminar sus estudios preparatorios al sacerdocio. En esa época, pasaron mucho tiempo juntos y se convirtieron en grandes amigos. Javier recuerda que lo primero que le impresionó fue el respeto y la pasión con que Mario se acercaba a las expresiones culturales que la gran mayoría de la gente ignoraba o despreciaba: «Nunca olvidaré su viaje casi mendicante por los países de Suramérica a comienzos de los años setenta, como peregrino ávido de alteridades que quería asimilar como suyas y que logró transmitirnos tan vivamente como si hubiésemos estado a su lado en ese extenuante recorrido».

En esa búsqueda, se encontraron con las ideas de Camilo Torres, aquel cura rebelde y revolucionario que transformó la forma de concebir la cristiandad en los años sesenta. Camilo emergió en el panorama nacional y se convirtió en figura polémica. Su mensaje contestatario produjo un cisma al fondo de la Iglesia tradicional colombiana. Camilo anunciaba una nueva doctrina orientada hacia los pobres y marginados en lo que llamó el Reino de Dios en la tierra. Mario se identificó con su línea de pensamiento y enfocó su carrera sacerdotal por el mismo rumbo. En el camino se encontró con numerosas tribulaciones y quebrantos, al igual que Camilo.

En su tesis, Mario sostenía que Camilo Torres era un cuasi profeta. Su propuesta había simbolizado una ruptura capaz de subvertir la sociedad y de transformar la Iglesia. Aunque el proyecto no se consolidó en vida, los seguidores continuaron el legado en tres premisas fundamentales del profetismo: la capacidad de convocatoria, la fuerza de su doctrina y la preservación de su obra. Como un espejo de Camilo, Mario intentaba sembrar un legado que sobreviviera a su paso por la tierra.

Corría el año 1971. Era una época de mucha efervescencia política. Mario y Javier vivían en una casa del barrio Palermo junto con otros estudiantes de Teología. Esa casa se convirtió en un tertuliadero de la izquierda intelectual. Allá se reunían los líderes de los grupos Golconda, el Ocaso, la Nueva Cristiandad y otros movimientos de avanzada. Mientras estudiaban los conceptos teóricos en la universidad, las ideas efusivas de estas tertulias empezaron a darle un vuelco a la metodología teológica. Estaba naciendo la teología de la liberación. Este movimiento proclamaba un compromiso de acción hacia los pobres y los necesitados y una conexión entre las enseñanzas de Marx y de Cristo. Mario y Javier estaban de acuerdo en que esta conceptualización otorgaba las herramientas para comprender y analizar la realidad colombiana con un enfoque cristiano.

En esa época escogieron la parroquia de Villa Javier para iniciar un trabajo de base acompañados por un equipo de jesuitas jóvenes. Allí conocieron de primera mano los problemas de los barrios populares, las necesidades de la gente, las políticas que se manejan a nivel de gobierno y los entramados del poder.

El trabajo en esta parroquia en el Suroccidente de Bogotá significó una experiencia fundamental en la vida de Mario. Fue la primera vez que aplicó su pensamiento y en donde se cimentó su vocación de servicio. Empezaron por cambiar los ritos religiosos.

—Vamos a cambiar el ritual del Miércoles de Ceniza —anunciaba Mario—. En lugar de cenizas, vamos a hacer aspersiones de agua.

A los jóvenes les parecía genial la idea. Y allí aparecían el miércoles a compartir un rito de agua, conversación y meditación sobre el significado de la ceremonia.

—Para la Pascua, vamos a celebrar la resurrección con una fogata y cineforo. ¿Les parece? —proponía Mario.

Y los feligreses se presentaban con entusiasmo a comprender los simbolismos de esta fiesta judeocristiana. Las celebraciones servían como foro de discusión de los problemas del barrio y el equipo de sacerdotes se compenetraba con las necesidades de la gente. Los jóvenes respondían animados por la convivencia y la solidaridad de los curas que no usaban sotana, hablaban con la gente y se preocupaban por sus problemas. No obstante, algunos parroquianos más tradicionales se oponían a los cambios y llevaron la queja ante las autoridades eclesiásticas.

El experimento de la parroquia de San Javier desembocó en altercados con el arzobispo de Bogotá y en confrontaciones con los superiores de la Universidad Javeriana. El arzobispo les ordenó a los jesuitas alejarse del trabajo social y concentrarse en su misión de guías espirituales. Ellos se negaron y, por el contrario, afianzaron su alianza con las enseñanzas de Camilo Torres.

Mario escribía, leía y meditaba sobre sus experiencias. Una efervescencia recorría su cuerpo —mezcla de fiebre y de excitación— al rememorar el tránsito de la conciencia a la acción. Recordó con complacencia aquel 15 de febrero de 1976 cuando se celebraban los diez años de la muerte de Camilo Torres. Ese día la parroquia organizó un homenaje a su vida y obra. Mario se había ordenado como sacerdote el año anterior y tuvo a su cargo la homilía. Sus palabras proclamaban el legado de Camilo y el papel que debería cumplir la nueva cristiandad:

Hoy celebramos los diez años de la muerte de Camilo. No vamos a hacer una apología de sus actuaciones ni de todos sus caminos. Solo queremos recordar hoy que, para él, como para Nuestro Señor Jesucristo, lo importante no es la ley sino la persona, el enfermo, el leproso, el pobre, el que en nuestros barrios tiene hambre. Por eso Camilo luchó y murió. Él trató de acercarse al mal de nuestro tiempo. Por eso no podemos olvidar su mensaje y la figura de Camilo, el sacerdote que quiso vivir hasta el final el lema: «El amor, para que sea verdadero, tiene que ser eficaz».

Este sermón fue muy mal recibido por el arzobispo, y así se lo comunicó a Mario por medio de una carta. Le reprochaba que comparara a Cristo con Camilo y calificaba la celebración como una aprobación a la línea de violencia. Mario le respondió con una defensa de su pensamiento y acción. En el proceso descubrió el placer que le causaba contrariar y desafiar las jerarquías y los sistemas ortodoxos.

Mientras trabajaba en San Javier, se enteró de que existía un plan para construir una vía de comunicación entre el Norte y Sur de Bogotá, que afectaría a 34 barrios del suroriente de Bogotá. A su manera de ver, se trataba de una expulsión de la población indeseable para que los ricos pudieran transitar de Norte a Centro. El decano de la universidad y el arzobispo apoyaban el plan urbanístico. Mario comenzó a organizar marchas y protestas en contra de la avenida de los Cerros. No tardó en enfrentarse con el Gobierno, la Policía y los urbanistas.

El alcalde declaró que los comités de defensa de los barrios eran «aparatos dirigidos por la subversión». El arzobispo de Bogotá lo acusó de «defender intereses mezquinos que se oponían a proyectos benéficos de salud, educación y transporte». Mario se defendió escribiendo cartas a los diarios capitalinos y organizando protestas solidarias. Al final, las obras de la avenida de los Cerros se ajustaron a un plan que minimizaba los desalojos previstos en la parte inicial del proyecto. Se sentía muy orgulloso de haber ganado esta batalla y lo incluyó como parte de su tesis doctoral.

Mario se deleitó leyendo y revisando párrafos, comas y puntos de su tesis. Camilo Borrero le había dicho «aligérela, quítele el pesado fardo académico». Así lo hacía, depurando, arreglando aquí y allá una frase; decantando párrafos *ladrilludos*. Le dolía la cabeza. Se tocó la frente y se sintió afiebrado. Debería dormir, pero los pensamientos lo atosigaban. Las palabras de Javier bullían en su mente: «Hay que salir del país... Hay que salir del país». Se quedó dormido mientras el delirio de la fiebre lo envolvía con estas palabras. Entretanto, los trámites para salir o para mudarse de apartamento se dilataron.

Admonición

Elsa era incapaz de concentrarse esa tarde al salir de clases. Tenía tanto que hacer, pero sus pensamientos volvían una y otra vez al mismo punto: el retén. Trataba de convencerse de que tal vez no significaba nada fuera de lo común. Los retenes existían en todas partes. Hacían parte de la paranoia de seguridad de este país. Lo malo era no saber en qué bando creer o en quién confiar. Quería hablar con alguien que le devolviera la seguridad en sí misma. Había intentado llamar a Juan Manuel, pero andaba ocupado. Ángela estaba trabajando en un reportaje. El Mono vivía fuera del país. Había dejado a Claudia preocupada con la llamada de la mañana. No era su intención crear incertidumbres innecesarias.

Recordó a su prima Consuelo, quien tal vez la conocía más que nadie en el mundo. Su amistad databa de su convivencia en la niñez. Ellas habían sido más que hermanas. Juntas habían descubierto el mundo desde un prisma común. Consuelo era como su espejo en reflexión inversa. Las gemelas opuestas: una rubia, la otra morena; Elsa, vivaz y espontánea; Consuelo, tímida y reservada. Ambas unidas por el ansia de explorar y descubrir más allá de lo que su medio y su familia prescribían.

Pensó en todo lo que habían compartido cuando niñas. Elsa vivió con su abuela y los primos Pabón en Girardot cuando solo tenía seis años. Allí se encontró con Consuelo de la misma edad y ambas crearon una relación de hermandad que perduró el resto de sus vidas. Elsa había vivido sus primeros años en Estados Unidos, cuando su padre adelantaba una especialización en Ingeniería en Connecticut. Sus primeras palabras fueron en inglés.

En un momento dado, los padres decidieron enviar a los hijos más pequeños a la casa de la tía Jesusita, hermana de Carlos, mientras culminaba los estudios y regresaban al país.

Así Elsa llegó a vivir a la casa de Consuelo y se halló en medio de una familia nueva y en territorio desconocido cuando apenas despuntaba a la niñez. Consuelo recuerda que les costaba trabajo entenderse porque Elsa solo hablaba inglés. Poco a poco, se encontraron en los juegos de la infancia y en los intereses mutuos. La prima no necesitaba mucho para comunicarse porque le encontraba el chiste, la broma y la carcajada a todas las situaciones.

La última vez que se encontraron fue en el Centro Tequendama. Fue un encuentro casual. Cuando se vieron en la calle se abrazaron con el cariño de siempre. Decidieron dejar lo que tenían pendiente y se fueron a almorzar juntas. Durante el almuerzo afloraron recuerdos de niñez y de adolescencia. Era tanto lo que habían compartido.

—¿Recuerdas las historias de Los Cinco? —preguntó Consuelo—. Imagínate que las venden en una de estas librerías de libros usados de la calle 12. Los acabo de ver.

—Nos moríamos por leer cada librito juntas.

La colección de Los Cinco de Enid Blyton fue su favorita en la infancia. Leían cada libro al mismo tiempo y luego se lo pasaban a su hermano Jairo, quien se unía en los juegos. Era tanto el placer que les deparaban las historias, que decidieron crear el Club de los Siete, al que incluyeron a los primos Alvarado Sánchez: Juan, Carlos y Daniel. Además, hicieron parte del club a sus perros, Oso y Ónix, emulando la serie.

—¿Recuerdas los libros que te regalaron para la primera comunión? Eran cuentos de Tolstói y de Pushkin —dijo Elsa—. Yo te los pedí prestados y no me acuerdo si te los devolví. Uno de esos cuentos trataba sobre un personaje llamado Iván. Desde entonces me encantó ese nombre: Iván.

Cuando los padres de Elsa regresaron a Colombia, se fueron a vivir a Bogotá y poco tiempo después la familia Pabón también se mudó a la capital. Consuelo cuenta que los papás de Elsa eran más amplios de pensamiento que los suyos. Carlos era un hombre culto, amante de los libros, de la buena música y el arte. Había nacido en Natagaima, Tolima, donde se había criado en medio de una familia numerosa en la vida del campo y la naturaleza. Luego, se graduó de ingeniero en la Universidad Nacional y realizó posgrados en México y en Estados Unidos. Su mamá, Elvira, era una mujer elegante con mentalidad conservadora, pero de mente abierta. Constituían una familia tradicional de la sociedad bogotana. Sin embargo, sus creencias nunca entraron en choque con la educación de sus hijos en un ambiente de apertura a las ideas y corrientes que propiciaban cambio de esquemas. Consuelo se sentía más cómoda en ese ambiente y prefería pasar tiempo en casa de sus primos que en ese tiempo vivían en Puente Largo, un barrio del norte de Bogotá.

Consuelo y Elsa gozaron de una adolescencia y juventud muy plenas. Fueron épocas de rumba, pero también de desarrollo intelectual. Su hermandad se afianzó durante esos años. Eran amantes de la música, del arte, de la literatura y el baile. Lo que más disfrutaban con furor era la música de salsa y los ritmos populares que se bailaban en fiestas y discotecas. La discoteca El Goce Pagano fue sin duda el escenario de muchas rumbas. Además, Elsa le ponía el sabor a las fiestas con disfraces que ella inventaba para actuar tangos y cantar a voz en cuello. Todos los concurrentes terminaban acompañándola en sus disparatados atuendos y parrandas que se extendían hasta la madrugada.

Cuando entraron a la universidad, Consuelo se unió al grupo de los Cinco Mosqueteros en sus andanzas y aventuras. En esa época, también se hicieron miembros de clubes de lecturas y cineforos.

—¿Recuerdas el club de lectura dirigido por Sergio de Zubiría?

—Cómo no recordar a Sergio Stepansky, como le decíamos, leyendo con nosotras *Razón y revolución*, de Marcuse. Él nos inició en la filosofía y en la literatura y compartió con nosotras en la rumba y la parranda.

Sergio era el dueño de la Librería El Zancudo. En esa época, era el compañero de Nohora, la hermana de Elsa. Él las invitó a su club de lectura, donde leían libros de filosofía, literatura y todas las novedades que circulaban en el mundo intelectual. Él también las inició en la poesía, y con él memorizaron y declamaron a los grandes.

—«Juego mi vida, cambio mi vida, de todos modos la llevo perdida» —recitó Consuelo.

—«Y la juego o la cambio por el más infantil espejismo, la dono en usufructo, o la regalo» —continuó Elsa, enunciando con elocuencia y alzando los brazos con solemnidad.

Ambas se rieron al evocar las sesiones en que declamaban el famoso «Relato de Sergio Stepansky», de León de Greiff.

El club de lectura les había abierto las puertas hacia la cultura y definido sus intereses intelectuales. Además, asistían a las películas dirigidas por Fellini, Pasolini y Buñuel que presentaban en los cineforos.

Los fines de semana eran sagrados y los pasaban juntas. Siempre había algún plan de rumba, de cine o de concierto con los del conjunto Icabuco. Elsa esperaba a Consuelo a la salida de clases y armaban el plan. El programa incluía esparcimiento con espacios dedicados al intelecto. Como ambas eran lectoras voraces, se intercambiaban libros y dedicaban tiempo para comentarlos a fondo. Si aprendían algún concepto nuevo en las clases lo discutían y se mantenían al tanto de lo que ocurría en las esferas intelectuales que las rodeaban.

Un sábado por la mañana Consuelo encontró un librito en la mesa de noche de Elsa. Lo miró y le llamó la atención el título: *Rizoma*, de Gilles Deleuze. Cuando estaban desayunando, le preguntó:

—¿De dónde sacaste ese libro?

—Me lo prestó Ángela. No lo he leído todavía.

Consuelo lo ojeó y quedó fascinada con el tema. Se enteró de que el filósofo Gilles Deleuze daba clases en París Ocho. Después de leer el libro, supo que quería conocer y estudiar con ese filósofo.

Elsa sabía que Consuelo se encontraba en una crisis con respecto a su carrera profesional. Había ingresado a estudiar Economía en la Universidad de los Andes, más por presión familiar que por convicción. Su pasión era la filosofía, pero no encontraba una facultad que le diera cauce a sus ambiciones intelectuales. La lectura de Deleuze le abrió los ojos sobre horizontes más amplios para expandir la mente con libertad.

Consuelo inició de inmediato los trámites para irse a estudiar a Francia. Su familia la apoyó y no tardó en marcharse poco tiempo después. Se abría una gran oportunidad que llevaba esperando largo tiempo. Ella le ofreció a Elsa que se fueran juntas. Estaba dispuesta a compartir el presupuesto de gastos. Elsa se negó. La separación fue muy dura. Antes de partir tuvieron varias despedidas donde se combinaban la alegría y la nostalgia. La noche anterior al viaje se reunieron por última vez y la pasaron escuchando música y cantando una tonada de Serrat que reflejaba su relación: «Ay, quién fuese abrigo para andar contigo. Ay, mi amor...».

Elsa la acompañó al aeropuerto y le hizo entrega de una carpeta con todos los escritos que juntas habían construido. Consuelo tomó el fajo y se pasó el trayecto del vuelo a París leyendo y llorando al rememorar en cada texto el proceso de crecimiento mutuo.

Elsa se sintió abandonada en una época de mucha incertidumbre. Las vidas de ellas se habían escindido como en «El jardín de los senderos que se bifurcan», de Borges. Así se lo escribió en una carta a Consuelo. No la culpaba. Consuelo necesitaba tomar distancia y encontrar su propio sendero. Pese a comprender sus razones, no podía desprenderse de un reproche tácito en su piel.

Durante ese tiempo, Elsa conoció a Sergio López y se abocó a una relación incierta. Elsa se enamoró del espíritu aventurero y de su pasión por la naturaleza. Él era un biólogo marino, compañero de su hermana Elvira María. Se entendían en la falta de convencionalismos y en la informalidad. Al poco tiempo, se casaron en una reunión muy íntima con la asistencia de los familiares más cercanos. No obstante, desde el principio surgieron los problemas. Elsa insistía en que el amor lo puede todo y se dedicó a rescatar a Sergio de la adicción. Pero no fue así. Él se negaba a admitir su problema, pese a que Elsa intentó por todos los medios de razonar con él. Pasaron meses en esa lucha en la que él prometía, intentaba y recaía de nuevo. Elsa se adelgazó, su risa se tornó en llanto y depresión. Cada mañana salía a nadar como una forma de combatir la ansiedad que la agobiaba. Se encontraba con su amigo de universidad, Juan Manuel, en la piscina, y él la escuchaba. Ella se negaba a admitir el fracaso.

Entretanto, Consuelo regresó de París con su marido, Édgar Garavito. Había encontrado al amor de su vida en ese filósofo que la siguió a Francia, luego de ser su profesor en los Andes. Las primas trataron de rehacer su amistad incluyendo a sus parejas, pero el intento fue en vano. Ninguna de las dos se pudo entender con el marido de la otra. Elsa pensaba que Édgar era un intelectual pretencioso, mientras que Consuelo no pasaba a Sergio con su actitud soberbia y agresiva. Total, ellas se distanciaron.

El matrimonio con Sergio llegó a su término porque Elsa no pudo más. Ella entró en una etapa de búsqueda personal y de recuperación emocional. Cuando Elsa conoció a Mario, recordó que Consuelo se negaba de tajo a los asuntos que involucraran religión, iglesia, curas y monjas. Era algo que venía de un trauma muy profundo de infancia. Por eso, quizá, nunca le contó que andaba con Mario.

Ese día cuando se encontraron, Elsa temía que Consuelo abordara el tema de Mario. Esta era la época en que todavía no se habían consolidado como pareja y por eso evitó mencionarlo. Durante el almuerzo, la conversación giró en torno a Carlos Pizarro, el dirigente del M-19 que había suscrito la firma de paz y convertido al grupo en un partido político. Hacía poco lo habían matado y Elsa había quedado muy afectada por la manera como fue cometido ese crimen atroz.

Consuelo recuerda que Elsa estaba muy alterada y la conversación se enfocó en todas las formas de repudio expresadas por el Cinep con respecto al crimen. Sin embargo, Consuelo había escuchado rumores de que Elsa andaba con un cura del Cinep muy reconocido por su activismo. También supo que este cura estaba bajo la mira de los paramilitares por su trabajo en Córdoba.

Intentaba llevar el ritmo de la conversación con la esperanza de que Elsa le contara algo. Fue en vano. Elsa mantuvo su reserva. Al final del almuerzo, Consuelo le dijo a Elsa esa frase premonitoria que salió de pronto de su boca, tal vez tratando de protegerla, sin sospechar que al decirla le costaría el distanciamiento por el resto de sus vidas:

—Nena, yo solo te quiero decir una cosa. Y es que aquí están matando a todo el mundo. Yo sí quisiera que si a ti te matan, no te maten por otro, sino que te maten por ti.

Elsa enmudeció y se quedó mirándola, pero no dijo nada. Siguió un rato de silencio, como si algo se rompiera entre ellas. Al rato se despidieron y cada una retornó a sus labores. No se volvieron a ver.

Las palabras de su prima resonaban en la mente y no podía apartarlas de su pensamiento. Ese día y ante el recuerdo de lo sucedido en el retén el domingo anterior, evocó los numerosos casos de asesinatos recientes: Luis Carlos Galán, Carlos Pizarro, José Antequera, Bernardo Jaramillo, Guillermo Cano, Héctor Abad Gómez, Jaime Pardo Leal, Leonardo Betancur. La lista era larga. En todos los casos, los crímenes habían sido cometidos a la vista de todo el mundo y con total impunidad. Los versos de León de Greiff resonaban en su mente.

Juego mi vida, cambio mi vida.
De todos modos
la llevo perdida...

4. MIÉRCOLES

París

EL MIÉRCOLES MARIO AMANECIÓ con fiebre alta. El malestar de
la gripa arreciaba. Elsa se preocupó porque cuando Mario se en-
fermaba era cosa seria. Además, la hepatitis que había sufrido hacía pocos años lo había dejado con bajas defensas inmunológicas.
Lo peor era que él se rehusaba a tomar las medicinas de farmacia
y se empeñaba en que le consiguieran hierbas naturales y pócimas
tradicionales de los arahuacos. Era mejor dejarlo en paz. Así que
Elsa le preparó un agua aromática de jengibre, limón y miel y se
marchó con el niño a sus actividades cotidianas.

Cerca del mediodía, Mario se sintió aliviado. Se levantó,
hizo un par de llamadas para cancelar compromisos, y se dedicó
a avanzar en la revisión de su manuscrito. Pese al malestar, sentía
que una fuerza poderosa lo impulsaba a trabajar con una premura inusitada. En cierto modo, sabía que el mamotreto, más que
una tesis de grado, era un documento autobiográfico. Por eso le
complacía revisarlo y decantarlo. En sus páginas, se consignaba su
legado de vida.

EN 1976 MARIO CALDERÓN viajó a Francia enviado por la Compañía de Jesús para cursar un posgrado en Sociología en la Escuela de Altos Estudios de París. Allí coincidió con compañeros
de seminario como Alejandro Angulo, Javier Giraldo y Francisco
de Roux. Mario se adaptó fácilmente a la vida parisina y desde
el comienzo hizo gala de la irreverencia que lo caracterizaba. Se
complacía en provocar a los franceses que miraban con desprecio
a los inmigrantes del norte de África. Por eso se ponía un gorro afgano que lo hacía parecer como un fedayín resaltando sus
ojos profundos y la barba frondosa. Iba a las bibliotecas y se las
arreglaba para sacar libros sin pagar membresía. Conversaba con
todo el mundo en francés chapuceado o hasta en árabe cuando

lo confundían con los musulmanes. Cuando el chileno Gonzalo Arroyo fundó una revista revolucionaria, Mario se ofreció como secretario. Si se aburría de las clases en su universidad, acudía a los seminarios que dictaba Michel Foucault en el Colegio de Francia. Conoció a los filósofos Alfredo Gómez Mueller y a Raúl Forné. Se familiarizó con las teorías sociales que bullían en esa época. Participó en grupos de discusión con Heriberto López y se involucró con cuanta disquisición filosófica y teleológica surgía en el mundo intelectual.

Era el primero en asistir a manifestaciones por la libertad de los argelinos o por la causa sudafricana. Pintaba grafitis, se unía a las arengas revolucionarias y se enfrentaba con la policía si era necesario. Vivió a plenitud la contradicción entre el refinamiento de los franceses y el descontento que estremecía al mundo, cuyas vertientes confluían en París.

El superior de los jesuitas no entendía la despreocupación y la libertad de espíritu de Mario. Así se lo comunicó al provincial de Colombia con el pedido de que lo mandara de regreso. La petición al parecer fue denegada porque Mario continuó contrariando normas y haciendo su parecer. No solo le tuvieron sin cuidado las amonestaciones del superior, sino que aprovechó su tiempo en París para meterse en todo tipo de aventuras.

Mario se convirtió en el líder de los colombianos refugiados por la violencia de Estado y conoció a la Cooperativa Longo Maï. Ambos hechos marcaron un hito en su formación.

CORRÍA EL AÑO 1979 durante la administración de Turbay Ayala. Este gobierno se recuerda por el Estatuto de Seguridad y las torturas de la Escuela de Caballería. Muchos exiliados colombianos se encontraban en París escapando la persecución política desatada contra cualquier sospechoso de sedición y rebeldía.

Javier Giraldo recuerda que un día se encontraban almorzando en un restaurante universitario cuando vieron unos carteles en español que decían: «La situación en Colombia es preocupante, los invitamos a una reunión en la Ciudad Universitaria de París Ocho». Mario le dijo a Javier:

—Esto parece interesante, hermano, deberíamos asistir. ¿Qué piensas?

—Si se enteran los superiores, nos matan. —Ambos soltaron una carcajada—. Vamos, pues.

Allí se encontraron con más de cien colombianos. Empezaron a leer cartas de testimonios de torturas y de represión. Los asistentes acordaron formar un Comité de Solidaridad con Colombia. Por esos días, el presidente Turbay anunció una visita a Europa. Era la época en que el mandatario afirmaba que el único preso político era él y negaba de plano la existencia de políticas represivas. El Comité de Solidaridad organizó una serie de conferencias de prensa y protestas con el fin de contrarrestar el discurso del presidente.

Javier y Mario se ofrecieron para organizar una manifestación en el centro de París, con tan mala suerte que la manifestación cayó en un día lluvioso y no asistió mucha gente. En cambio, llegaron agentes de seguridad. Cuenta Javier que la marcha terminó en contravía: «Los agentes nos fotografiaron y mandaron las fotos a Colombia». Ambos quedaron reseñados como subversivos.

De esta forma, Mario y Javier consolidaron su amistad y sus proyectos políticos, cada uno en su propio estilo. Javier entró en contacto con sindicatos franceses y con organizaciones humanitarias. Se unió a grupos de iglesias que trabajaban con movimientos de base y aprendió sus metodologías. Fue el inicio de la tarea que desarrollaría más adelante como uno de los mayores defensores de los derechos humanos en Colombia.

Mario, por su parte, acometía acciones temerarias y de impacto político. Realizó una huelga de hambre en una iglesia antigua del centro de París en compañía de otros dos colombianos. El 20 de julio ingresaron a la embajada colombiana y pintaron las paredes con consignas en contra del Gobierno y de la represión. Se salvaron de que los arrestaran de milagro. Al mismo tiempo, se convirtió en el capellán de los latinoamericanos. Oficiaba misas y ceremonias peculiares entre los refugiados no solo de Colombia, sino del continente. Las misas tenían lugares en bares o en buhardillas. Se aperaba una estola con motivos precolombinos y ponía un casete de música andina. Las ofrendas eran de diversas modalidades, lo mismo que las lecturas evangélicas. Allí se congregaban los refugiados de todas las procedencias con el único vínculo de ser exilados. Las misas terminaban en debates políticos ambientadas por fluidos etílicos.

Era la época en que abundaban las dictaduras militares en América Latina. Entre los exiliados se encontraban argentinos, chilenos, uruguayos, bolivianos y centroamericanos. Con todos entablaron buenas relaciones. Mario se arriesgaba a perder su visa viajando clandestinamente desde París hasta Londres con el fin de asistir a mítines de exiliados colombianos y a oficiar de capellán en ceremonias religiosas. En más de una ocasión, se vio en aprietos con las autoridades y estuvo a punto de que lo expulsaran de la casa jesuita francesa.

MARIO LEYÓ Y RELEYÓ sus memorias. La época de París le traía tantos recuerdos tumultuosos. Se sentía afiebrado. Su mente divagaba entre las memorias de antaño y las presentes. Soñó con el río Sena, que recorre la ciudad luz bajo puentes monumentales y obras arquitectónicas góticas y barrocas en un eclecticismo deslumbrante. En el sueño se vio caminando por las veredas del río entre cipreses y estatuas de la mano de Juanita. Como en una imagen de película se contempló en este par de jóvenes, bellos y enamorados. Se admiró en la placidez con que se subían a los bordes de los puentes y se asomaban al río para decirles adiós a los turistas que recorrían el Sena en botes de lujo. Se reflejó en esa pareja que rebosaba de inquietud y de libertad. Nadie se imaginaría que ese tipo con barba de bucanero abrazado a una joven de sonrisa angelical era un cura.

Ellos se habían conocido en el Cinep antes de que ambos viajaran a estudiar a París. Un día ella se enteró de que Mario andaba en Francia y lo contactó para pedirle que la llevara a conocer la comunidad de *Longo-Maï*. Mario había estrechado una relación fuerte con esta cooperativa y no se pudo negar. En Longo Maï, Juanita encontró su objeto de investigación sobre comunidades alternativas y Mario descubrió que existían formas diferentes de pensamiento donde el anarquismo era aplicado con método, pero sin imposiciones. Al término de la visita, descubrieron muchas coincidencias en sus maneras de ver el mundo. Su relación fue de amistad y de compañerismo. Compartían la lectura, la poesía y la cocina francesa. Asistían a conciertos y a conferencias. Coincidían en gustos y en intereses intelectuales, pero especialmente en el trabajo social. Sin embargo, Mario tenía claro su derrotero y se negaba a comprometerse en una relación que pusiera en peligro su vocación.

Longo Maï

Juan Gaviria cuenta que durante una visita que realizó a Francia se encontró con Mario. Ellos eran amigos de viaja data. Habían sido compañeros en el Cinep y habían compartido vivienda en La Candelaria. El encuentro fue en un café del centro de París. Mario le habló de sus actividades y de esa cooperativa que lo tenía embrujado. En medio de la conversación, le hizo una invitación peculiar.

—Vení, acompáñame a Longo Maï.

—¿Longo Maï?

—Sí, es una comunidad medio *hippie* que nació en los años setenta como una respuesta de los movimientos del 68. Longo Maï significa larga vida. Son gente muy bacana.

Juan no se pudo negar. Se consiguieron un carro de un cura belga y se encaminaron hacia los cerros de los Alpes. Tras dos horas de camino por una carretera escarpada, llegaron a la aldea de Limans, en donde se hallaba una casa campestre rodeada por trescientas hectáreas de bosques y sembrados frutales. Los de la cooperativa eran unos tipos amables y sencillos. Los recibieron con alegría y les dieron una cálida acogida. Todos conocían a Mario y lo trataban con afecto especial.

—Vení, acompáñame a la radio —le dijo a Juan.

La cooperativa contaba con una estación de radio llamada Zinzine que transmitía desde una caseta con una antena de radio enclavada en los picos de los Alpes. Hacía parte de la radio libre francesa y estaba en permanente emisión.

«Vamos a entrevistar a un sacerdote católico jesuita colombiano, padre Mario Calderón y a su amigo Juan Gaviria...».

Juan y Mario respondieron a las preguntas y hablaron cerca de una hora sobre la situación política en Colombia en una mezcla de francés chapuceado y español traducido.

Las cooperativas de Longo Maï surgieron en las cumbres de los Alpes, en la frontera que separa Francia y Suiza, como un movimiento que proclamaba el retorno a los inicios. Longo Maï se remota a un pasado milenario de la tribu de los zínganos; el líder de la cooperativa se llamaba Remi y desde que conoció a Mario se entendieron muy bien. No era para menos, Mario encajaba perfecto con los principios de anarquía, irreverencia y desafío a las normas ortodoxas que proclamaba la organización.

ESA TARDE SE SENTARON a tomar vino acompañado de quesos procesados en la misma cooperativa. Remi se regodeó contando historias sobre los zínganos, uno de los grupos gitanos más antiguos de la campiña francesa.

—Imagínense que nosotros hemos visto pasar a todos los invasores que han incursionado por Europa a lo largo de los siglos, empezando por Alejandro Magno, pasando por Carlo Magno, Napoleón y hasta Hitler. Desde las montañas escabrosas, los zínganos vimos conquistar, invadir y sucumbir a todos esos imperios cargados de ambición y de poder, mientras nuestra tribu permanecía impasible.

Mario le preguntó:

—¿Esto significa que su comunidad ha logrado superar los grandes desafíos de la historia?

—Nuestra visión parte de una propuesta de gran alcance político macro, pero expresada en una comunidad micro, una que no disuelve a los individuos, sino que negocia por medio del diálogo. Es decir, que todas las decisiones se toman por consenso —explicó Remi.

Mario se había fascinado con el modelo de cooperativa rural que ofrecía Longo-Maï. Especialmente, por la perspectiva de protección ambiental y sostenimiento a largo plazo. Aprendió que era posible desarrollar cultivos con técnicas novedosas naturales sin afectar el medio ambiente. Estos se convertían en modelos productivos enmarcados dentro de un tipo de economía solidaria.

Longo Maï llevaba a cabo varias acciones como vida comunitaria y escuela local; preparaban conservas de los productos que cultivaban; amasaban su propio pan y hacían experimentos de cruces de árboles frutales en forma orgánica y sin alterar el ambiente.

Remi era un francés simpático y parlanchín. Le encantaba hablar y compartir, y era evidente que Mario le simpatizaba mucho. Se habían encontrado en sus percepciones del mundo y en la libertad de pensamiento, además del humor y la chispa oportuna. Los visitantes estaban sentados en una terraza que permitía divisar los Alpes en toda su extensión en un día de verano tardío. Amenizados por la libación de un vino tinto de la región y quesos franceses de diversos grados de maduración, Remi continuó relatando las historias con su voz recia y ojos rasgados de zorro que refulgían en la oscuridad.

—En una ocasión tuvimos que trasladar un rebaño de ovejas de Francia hasta Suiza. Cuando llegamos a la frontera, nos dijeron que las ovejas no tenían papeles.

—¿Qué tipo de papeles?

—Nos pusimos en la tarea de elaborarle a cada oveja un pasaporte con su nombre, su edad, su raza y otros detalles —continuó Remi.

La carcajada fue general, pero en tono más serio el líder se refirió a acciones que ayudaron concretamente a organizaciones revolucionarias latinoamericanas.

—Resulta que los sandinistas estaban en el proceso de ser reconocidos como una fuerza militar en contra de la dictadura de Somoza, pero no tenían uniformes adecuados. Entonces, recordamos que el ejército suizo acababa de cambiar sus uniformes de infantería. Les compramos cinco mil uniformes en una subasta, luego fletamos un avión y descargamos los uniformes en Nicaragua. Los sandinistas fueron uniformados por Longo Maï.

Juan comprendió la razón por la que Mario estaba amañado en Francia. Se sentía en su elemento. Mario absorbió el aire libertario y la burla por las jerarquías y los imperios. Esa fue parte de las influencias que tuvieron impacto en su pensamiento y quehacer político. La noche terminó con danza de bailes africanos, al son de un guitarrista que cantaba con voz alambicada al estilo gitano. Al día siguiente, regresaron a París y Juan siguió su camino a Bélgica.

La estadía de Mario en Francia se fue extendiendo y diversificando entre sus actividades políticas con el Comité de Solidaridad de Colombianos y sus labores en Longo Maï. La tesis se fue prolongando indefinidamente. El provincial de los jesuitas en Colombia se preocupó y en una visita que hizo a Francia le propuso a Mario transferirlo a París. Aunque en un principio le interesó la idea, él no se sentía cómodo con los franceses de la ciudad y no se llevaba bien con los compañeros jesuitas, rígidos y ascetas. Por lo tanto, le asustó esa propuesta y terminó la tesis, titulada *Conflictos en el catolicismo colombiano*, con la promesa al provincial de nunca publicarla.

La sustentación de su tesis fue un acto solemne ante un público académico muy ilustre y concurrido. Él presentó sus planteamientos con toda la reverencia que le fue posible. Sus conceptos ideológicos causaban molestia entre el clero, pero no tuvieron argumentos para descalificarlo.

Al término del acto solemne, hubo aplausos y ovaciones. Juanita, quien se había hecho presente en el evento, se le acercó para felicitarlo y para despedirse porque en pocos días ella se marchaba para Colombia.

—Dime cuáles son tus planes —le planteó.

—¿Planes de qué?

Ella le soltó la pregunta:

—¿Tienes alguna intención de salirte del sacerdocio?

Su respuesta fue categórica:

—No hay salida de cura.

Pese a todas las críticas a la Iglesia jerárquica que planteaba en su tesis, y que tanto incomodaban a los superiores y complacían a los detractores, Mario no estaba listo para dejar la Compañía de Jesús. Juanita aceptó la decisión y se marchó.

A la salida del evento, Mario y un combo de amigos fueron a celebrar el gran acontecimiento de defender su tesis tras diez años de estudio. Cuenta Yolanda Zuluaga que cuando pasaron por uno de los puentes sobre el río Sena, Mario no tuvo empacho en desperdigar hoja por hoja de su tesis sobre el lecho del río.

Las hojas volaron por el puente mientras algunos reían, otros gritaban y clamaban espantados. Sin embargo, el documento estaba bien guardado en los discos de la computadora.

Mario regresó a Colombia y se vinculó al Cinep. Llegaba con un cúmulo de ideas para poner en marcha lo aprendido, no tanto en la universidad, sino en sus experiencias con Longo Maï y otros espacios de conocimiento. Sobre todo, se sentía más seguro para emprender cambios desafiando las instituciones y aprovechando las ventajas de pertenecer a la Compañía de Jesús.

Poco tiempo después el provincial de los jesuitas mandó a Mario a Tierralta, Córdoba. Algunos aseguran que fue una especie de sanción por su tardanza en París. Habían pasado diez años. Javier cree que tal vez el castigo fue hacerlo regresar de Francia.

Esa tarde, Arnulfo, el portero del edificio, subió a dejarle un pedido de provisiones que Mario había ordenado por teléfono.

—¿Cómo está todo, don Arnulfo?

—Don Mario, esta mañana vinieron unos tipos preguntando por usted. Querían saber el número de apartamento.

—¿Cómo así? ¿Y usted les dio el número?

—No tuve que hacerlo. Lo pudieron ver en las cajillas del timbre.

Mario experimentó un escalofrío que le recorrió la espalda. Le sobrevino un ataque de tos y Arnulfo se despidió. Se quedó trémulo. Solo atinó a mirar hacia los cerros del oriente. Las nubes negras avanzaban sobre el horizonte listas para descargarse con truenos y centellas.

Decisiones

El miércoles por la tarde Elsa y Catalina se encontraron para preparar el viaje que emprenderían el martes siguiente a Ugandí, en el Urabá. Catalina recuerda que estaban en la oficina de la Reserva sentadas una frente a la otra fumando un cigarrillo cuando Elsa le comentó:

—¿Sabes que Mario está muy preocupado por nuestro viaje a Urabá?

Catalina respondió:

—Pues sabes que Juan Manuel también.

—Entonces, ¿qué hacemos? —preguntó Elsa.

—¿Tú crees que nos van a matar?

Elsa aspiró el cigarrillo con gravedad, soltó una bocanada de humo, se echó para atrás y lanzó una carcajada:

—¿Quién nos va a querer matar a ti y a mí, Cata? —dijo en medio de la risa sarcástica, pero nerviosa al mismo tiempo.

—Pues sí. ¿Por qué nos van a querer matar?

Entonces, Elsa en tono relajado tomó el teléfono y dijo:

—Pues, vamos. Compremos los pasajes, y de una.

Llamó a la agencia de viajes y compró los pasajes para el martes 21 de mayo. Sin más preámbulo, se dispusieron a adelantar los preparativos. Realizaron los contactos por teléfono y alistaron las grabadoras. Se aseguraron de cargar rollos fotográficos, pilas y casetes suficientes. Además de eso, se asignaron las tareas respectivas de conseguir ropa y víveres para llevar a la gente del lugar.

Elsa estaba muy ilusionada con ese viaje a Ugandí, porque además de finalizar el proyecto encomendado por Resnatur para caracterizar los conflictos en reservas naturales privadas asociadas a la Red, pretendía pasar unos días en Capurganá, y explorar las posibilidades de conseguir un contrato de trabajo con la Reserva del Darién. Capurganá era un sitio idílico ubicado en la frontera entre Colombia y Panamá, donde abundaba la biodiversidad y un tesoro asombroso de arrecifes coralinos. Allí habían pasado momentos memorables en varias ocasiones con su amiga Ángela en su época de exploración juvenil. Ahora se configuraba como el escenario donde podría desarrollar un trabajo ecológico y de conservación si todo salía como estaba planeado.

Cuando terminaron de hacer los preparativos, acordaron hablar el lunes siguiente antes del viaje. El viernes Catalina se marchaba con su familia a pasar el fin de semana en una finca en el Tolima. Nunca se imaginaron que este sería su último encuentro.

Al regresar a casa, Elsa sintió los primeros síntomas del resfrío. Le dolía la garganta y empezó a estornudar con frecuencia. Paró en la farmacia de Cafam a comprar algunos paliativos:

aspirinas, dólex y Cepacol. Mario la había contagiado. Al salir de la droguería, sintió escalofrío. El viento soplaba despiadado y arrastraba una tenue lluvia. ¿Es que nunca va a dejar de llover? Trató de abrir la sombrilla, pero esta quedó desarmada por una ventisca.

Como pudo, llegó hasta el *jeep*. Pagó el tiquete del parqueadero desde la ventanilla y emprendió la marcha por la carrera séptima. La avenida era una fila interminable de luces titilantes y de bocinas exasperadas. En medio del trancón, decidió armarse de paciencia y se sumió en sus pensamientos. ¿Y si fuera verdad que tuvieran que salir del país, como aseguró el padre Giraldo? ¿No sería suficiente con que Mario aceptara el trabajo en Cali? ¿Y la mudanza a un nuevo apartamento? Cualquiera de las alternativas la preocupaban. Cuál sería su vida fuera de Bogotá, si aquí lo tenían todo: trabajo, amigos, proyectos y su casita soñada en vía de construcción en Sumapaz.

Desde que se vio obligada a dejar su trabajo en el Cinep, se sentía un poco insegura en cuanto a sus perspectivas laborales. Es cierto que tenía las clases del Externado y la asesoría con el Ministerio de Comunicaciones, pero estos eran trabajos *freelance*, que no le reportaban una estabilidad. Además, no podía negar que extrañaba la camaradería y los retos profesionales del Cinep.

Recordó cuando había ingresado al Centro. Ella cursaba la maestría en Tecnología Educativa en la Javeriana. Allí se enteró de que había una vacante en el Centro de Investigación y Educación Popular. Se presentó al concurso y lo ganó por méritos propios. El Cinep le había cambiado la vida: la formó profesionalmente, le trazó el camino de su vocación investigativa y le dio las herramientas para su lucha social. Sobre todo, le deparó el encuentro con Mario, ese cura loco, cuasiprofeta, agitador y anarquista que le definió la vida y, tal vez, la muerte.

Retos

El 27 de febrero de 1990 Elsa empezó sus labores como investigadora en el área de divulgación y como miembro de la Oficina de Eventos y de Prensa del Cinep. Le fascinó el ambiente donde departía con jóvenes de mente abierta, inteligentes e inquietos.

Su primera tarea fue investigar sobre la democratización de la comunicación y el poder de la opinión pública. Asumió el reto y descubrió el gozo de hacer lo que le encantaba: opinar sobre los medios y debatir con argumentos profundos e incisivos. Empató con la diversidad de pensamiento de sus colegas y aprendió de ellos su accionar liberal y progresivo. El Cinep era al mismo tiempo un lugar de encuentros y enfrentamientos. Las reuniones mensuales y semanales donde se discutían los temas sociales y de la vida nacional se convertían en un fortín de guerra. A estos encuentros, llamados tertulias, acudían numerosos investigadores y gente de las distintas regiones donde trabajaba el Centro.

Elsa se convirtió en una apasionada de los temas de comunicación y opinión pública, pero también de la educación popular. En el Cinep comprobó que existían dos vertientes: una de investigación y otra de proyectos aplicados. Cuando se vio obligada a escoger, se decidió por ambas. Su relación era con la investigación y con los medios. Fue la época gloriosa del Cinep, un tiempo de exploración y aprendizaje profundo sobre diversos temas. Allí conoció a gente pensante, abierta e inquisidora. Con ellos forjó amistades entrañables de camaradería y de trabajo conjunto.

Así fue como se involucró con el proyecto Infancia y Mujer de radio comunitaria que Sarita Franky lideraba. Era un proyecto de radio que aplicaba el modelo de comunicación participativa, según el cual los protagonistas eran los productores de los programas bajo las premisas de aprender haciendo. Ellas los guiaban en la parte técnica y los estimulaban a pensar sobre sus propias necesidades y soluciones.

En el Cinep conoció a otras jóvenes inquietas y emprendedoras como ella, Tatiana, María Helena y la Nena —las Cinepas—, quienes se convirtieron en el foco de atención por las ideas novedosas y el aire fresco que imprimían a la organización.

Con Tatiana y otras colegas iniciaron una estrategia educativa para capacitar al Movimiento de Madres Comunitarias encargadas de la atención a la primera infancia. Las Madres Comunitarias no tenían voz ni eran reconocidas en sus derechos como educadoras. Eran simples cuidadoras, que abrían las puertas de sus casas para proteger a los niños pequeños y enseñarles con juegos y cantos las primeras letras. Ellas se dedicaron a producir materiales para ayudarles en su labor usando historietas, grabando música y películas para que la mente se les abriera hacia el universo de la infancia. Así nacieron las semanas de la creatividad en el suroriente de Bogotá, el cineclub Cine-Cinep para los niños del barrio La Perseverancia y el programa Fosdimac de Formación a las Madres Comunitarias. Tatiana reconoce que el trabajo que desarrollaron las convirtió en amigas entrañables. Se acuerda, en especial, de la desbordada creatividad de Elsa.

—Ay, Tatis, imagínese que he descubierto una cantante que le encanta a los jóvenes. Creo que podríamos trabajar sobre esas canciones.

—Tiene una canción muy linda sobre los pies descalzos. Quiero hacer un trabajo con mis estudiantes usando esa canción.

—Yo quiero ese casete.

Tatiana cuenta que Elsa le grabó la cinta y escribió con su puño y letra el nombre de la cantante. Hasta la fecha, lo guarda como recuerdo. Así fue como conoció a Shakira.

Rosa María fue otra persona que impactó la labor de Elsa. Con ella trabajaron en varios proyectos y colaboraron en el capítulo de comunicación del Consejo para la Educación de Adultos de América Latina (CEAAL). Los planes incluían proyectos de largo alcance en materia de medios, ciudadanía y agendas públicas. Con Rosa María y Germán Rey, alcanzaron a pensar en un libro que reflejara las tendencias modernas de comunicación. Intentaban responder a una problemática crucial: ¿cómo cambiar la manera como se informaba sobre derechos humanos y paz en Colombia? Esta fue la pregunta que guio muchos debates y foros en el Cinep y la CEAAL.

También se relacionó con Lucha, la encargada de la oficina de comunicaciones de Fedevivienda. Su trabajo las llevó a viajar por varias regiones de Colombia con los programas de capacitación radiofónica. Ambas eran jóvenes comunicadoras llenas de vida y de energía. Los viajes se convertían en trabajo y goce.

Cuando trabajaba, Elsa era la más organizada y exigente, cuenta Lucha. Cuando rumbeaba, era descomplicada y alegre.

Le encantaba disfrazarse, tomar el micrófono y cantar a voz en cuello. Ella se convertía en el alma de la fiesta.

Ella recuerda una celebración del día del padre en la que Elsa llegó con una propuesta:

—Lucha, ¿qué te parece si me disfrazo con un vestido bien estrambótico y volvemos esta fiesta una celebración inolvidable?

—Perfecto —respondió Lucha, que la secundaba en todas las locuras.

Ese día y ante la mirada asombrada de todos los asistentes, Elsa se disfrazó de Venus sideral, ataviada con un vestido de polietileno que destacaba su sinuosa figura, una máscara de superheroína, y una vara mágica en la mano. En la mitad de la fiesta, se subió a una tarima y desde allí convocó a todos a que se unieran a la celebración. Luego cantó tangos amenizada por unos cuantos que se unieron a su disparatada actuación. La fiesta fue un éxito y ella se convirtió en la presentadora, animadora y el centro de atención.

Fue la época de oro del Cinep, pensó Elsa con nostalgia. Las amistades de esa época perduraban por siempre, pese a los rompimientos que se habían producido en los últimos tiempos y la salida de muchos de sus amigos del Centro.

LAS MEMORIAS DE ELSA se desvanecieron cuando recogió a Iván en la guardería de la señora Orjuela en la calle 54 con carrera 16. Al llegar al apartamento encontró a Mario haciendo llamadas con la lista de clasificados en la mano. ¿Había ocurrido algo? Él respondió con evasivas y le preguntó si al fin había comprado los pasajes para Urabá.

—Por supuesto.

—Entonces se van de todos modos.

—No hay ninguna razón para no ir —fue la respuesta—. Te noto preocupado. ¿Pasó algo?

Elsa empezó a toser y manifestó que se sentía indispuesta. La conversación quedó inconclusa. Ambos estaban preocupados, pero ninguno quería expresar su preocupación para no preocupar al otro de su propia preocupación.

Mario en la Reserva de Suma-Paz

II
TIERRA

Una vez se detuvo en una tierra que tenía río, playa verde y sombra de pisamos.

Los duraznos colgaban de las ramas bajas y no había que implorarle al firmamento para alcanzarlos.

Una primavera, un verano y parte de un otoño acampó.

En los perfumes percibió el espejismo que le hizo imaginar un tesoro escondido.

Cavó y sudó durante trece lunas y halló una moneda recién acuñada.

Falsa.

Cavó de nuevo durante otras tantas lunas en vano, hasta que comprendió.

Sólo cuando miró aquel villorio desde la curva del camino que conducía al desierto comprendió que las excavaciones que había hecho tenían la forma de una tumba.

—MARIO CALDERÓN

5. JUEVES

Tierra de conflictos

EL JUEVES MARIO FUE a trabajar, aunque todavía se sentía indispuesto. Tras atender algunos compromisos, advirtió que no se sentía bien y pidió que cancelaran unas reuniones. Se encerró en su oficina, abrió la computadora y continuó escribiendo sus memorias.

Cuando regresó de París la Compañía de Jesús decidió enviarlo a trabajar en una parroquia de Tierralta, Córdoba. Corría el año 1987, la época en que la guerrilla extorsionaba a los hacendados, mientras las autodefensas tomaban las armas para confrontar a los subversivos. En medio se encontraban los campesinos y grupos indígenas, amenazados por los bandos militares y paramilitares que los acusaban de guerrilleros.

Al mismo tiempo, avanzaba la construcción de las represas hidroeléctricas de Urrá I y II en la misma zona. El proyecto de construcción de las represas figuraba en los planes del Gobierno Nacional desde la década de los años cincuenta y contemplaba el desvío de los ríos Sinú y San Jorge. Se pretendía inundar siete mil hectáreas de selva virgen en el departamento de Córdoba, además de cubrir una zona de alta biodiversidad. Este macroproyecto afectaba en especial a los indígenas emberá-katío que habitaban los resguardos Karagabí e Iwagadó en una zona que les pertenecía desde tiempos prehispánicos. También se verían afectados campesinos, cuyo sustento de vida estaba en esas tierras fértiles y productivas de las cuencas de los ríos.

Al llegar a Tierralta, Mario se dio cuenta de que el proyecto hidroeléctrico tenía un costo ambiental y humano altísimo. Cuando conoció a los pobladores indígenas y campesinos que se verían desalojados de sus tierras, de inmediato se mostró solidario con ellos. Comprendió que el problema real se basaba en la falta de comprensión del pensamiento de los nativos, quienes definen su vida en relación con la tierra y con el flujo de los ríos.

Ellos desconocen el concepto de «propiedad» sobre la naturaleza y, por el contrario, se acomodan a sus dinámicas y fluidos como parte constitutiva de esta. En ese sentido, son poblaciones seminómadas marcadas por la tierra y sus movimientos, que incluyen rotar los cultivos y terrenos de siembra. Su relación con los ríos obedece también a una dinámica en continuo movimiento. Los embera-katío se unen al río como flujos inmanentes, de manera que si se desvían o cambian su rumbo desaparece la flora y fauna, y esto supone el aniquilamiento de la vida de los pescadores. Era evidente que las represas tendrían un impacto devastador para los pobladores ancestrales de esta región.

Como coordinador del Programa por la Paz de la Compañía de Jesús, Mario estaba a cargo de fomentar la participación ciudadana en la administración local y de acercarse a las comunidades. Mario se sintió en su elemento porque el trabajo con la gente de la región le permitió poner en práctica lo aprendido con la cooperativa Longo Maï. Iba a las veredas, trabajaba con los campesinos, proponía proyectos agrícolas y de cooperativismo. También, inició su trabajo ambiental dirigido a defender los ríos, las quebradas y los recursos naturales. Todo lo cual se oponía a los macroproyectos que adelantaban las corporaciones.

Desde el principio, se enfrentó a la situación de inestabilidad que vivía la región. Las fuerzas paramilitares se habían instalado en Córdoba y constituían la autoridad. Los grandes terratenientes habían dado carta blanca para que las autodefensas combatieran a la guerrilla que los extorsionaba. Pero bajo la fachada de lucha antisubversiva aplicaban la ley del silencio para amparar los negocios de cultivos ilícitos y el despojo de tierras. En 1988 empezaron las masacres en la zona: las de Mejor Esquina y Pueblo Bello, dos acciones que aterrorizaron a las poblaciones y los obligaron a salir desplazados. Luego continuó la persecución indiscriminada contra todos los que no estuvieran de acuerdo con sus métodos.

En Tierralta, Mario conoció al padre Sergio Restrepo. Sergio era un antioqueño de pura cepa, educado con los jesuitas desde joven, amante de las causas sociales y de la naturaleza. En 1978 había comenzado el trabajo en Tierralta. En aquella tierra rica en ganado y productora de madera, se convirtió en voz de aliento de las comunidades que reclamaban justicia por las atrocidades que empezaban a cometer los actores violentos. Sergio era un hombre con vocación social, pero su gran pasatiempo era la botánica. Su pasión por las orquídeas le granjeó que su nombre se perpetuara en la *Sergius purpúrea*.

El mural

Mario y Sergio trabajaron juntos en varios proyectos. Ambos iban a las comunidades, hablaban con la gente e identificaban sus necesidades. Sergio Restrepo inició los planes para crear la biblioteca Casa Campesina y el Museo Arqueológico Zenú. Su mensaje pretendía que la cultura del pueblo fuera superior a la violencia que lo circundaba. Pero también era osado. Empezó a sindicar desde el púlpito a las autoridades que obraban en alianza con las autodefensas. Lo peor fue que se atrevió a denunciar con todas sus letras la agresión de la que había sido objeto su antecesor, el sacerdote Bernardo Betancur.

— ¿Y qué pasó con el sacerdote Betancur? —inquirió Mario.

—Pues resulta que el padre Betancur había decidido traducir la palabra de Dios a la lengua de los indígenas emberá-katío —explicó Sergio—. Por esa razón, los paramilitares lo tacharon de cura loco y guerrillero. Las autoridades de policía, en vez de protegerlo, lo detuvieron varias veces.

— ¿Pues, y qué tiene que ver la traducción de la Biblia con ser loco y guerrillero?

—Ya sabes que el simple hecho de simpatizar con los indígenas es motivo suficiente para ser tildado de guerrillero.

Sergio contó que el padre Betancur se negó a obedecer a los paramilitares y en una ocasión en que se enfrentó con los oficiales lo torturaron, y al final lo ejecutaron con sevicia. El crimen había quedado impune.

Ante la imposibilidad de denunciar el homicidio, pues las autoridades eran aliados de los asesinos, Sergio mandó pintar un mural representando el caso de Betancur. Tomó como modelo el «Paño de Cuaresma» que la agencia católica alemana Misereor había impreso como instrumento de catequesis y al mismo tiempo de recolección de fondos para ayuda al tercer mundo. El paño en el que Sergio se inspiró correspondía al cuadro de 1982 del artista haitiano Jacques Chéry, que mostraba una síntesis de la catequesis con una estructura muy particular.

El cuadro estaba dividido en tres franjas verticales y tres horizontales. Las verticales representaban la humanidad, la obra de Cristo y la Iglesia. Las horizontales se referían al pecado en la parte inferior, la redención de Cristo en el centro y la utopía y la esperanza en la parte superior. En el centro se veía una escena de la tortura de Cristo. Sergio buscó a un artista del pueblo para que reprodujera el cuadro en la pared del fondo de la Iglesia. Le pidió que la imagen de Cristo reflejara el rostro del padre Betancur. El artista plasmó con tanta fidelidad los rasgos físicos del sacerdote y los camuflados de los agresores que el pueblo lo entendió como una denuncia. Esta acción desafiaba abiertamente al Ejército y a la Policía.

Un día Mario estaba almorzando en la casa parroquial, cuando llegó un comando militar tocando a la puerta con agresividad. Él les abrió y los invitó a pasar con cortesía. Ellos respondieron con altanería y le ordenaron:

—¡Abra la puerta de la iglesia inmediatamente!

Él obedeció. Los oficiales se dirigieron al mural, y le dijeron:

—Eso lo tienen que borrar de allí. Ya le hemos dicho al padre Sergio. ¡Tienen que borrar ese cuadro de allí!

Mario les respondió haciendo uso de un aplomo que no lo caracterizaba:

—Miren, eso lo pintamos con el consentimiento de la comunidad y no lo vamos a borrar si los parroquianos no están de acuerdo.

Los oficiales se enfurecieron y se marcharon, no sin antes vociferar amenazas y obscenidades.

Al poco tiempo hubo un cambio de obispo. Las autoridades del pueblo organizaron una copa de vino en su honor. Allí se hicieron presentes los mandos militares y le dieron a conocer al prelado sus reservas con respecto a los jesuitas. El capitán César Augusto Valencia, comandante de la Base Militar de Tierralta, llamó aparte al obispo y le advirtió:

—Mire, aquí tenemos un problema con los jesuitas. Les hemos dicho en todos los tonos que borren el mural de la iglesia y no han querido. Usted entiende, monseñor, órdenes son órdenes —puntualizó.

El primero de junio de 1989 fue un día trágico. Al amanecer, asesinaron a Jesús Yáñez Plata, un conductor de camiones. Seis horas más tarde, dispararon contra Juan José Ortega, otro habitante del pueblo. Al caer la tarde, el padre Restrepo le dijo a Marino López, con quien conversaba en un café: «Es mejor que cada uno coja para su casa. Ya mataron el del desayuno y el del almuerzo, quién sabe a quién le tocará esta tarde».

El señalado era él mismo. Marino López recuerda que se despidieron y a la distancia vio que una muchacha se acercó al sacerdote con los planos del museo y la biblioteca. El sacerdote y la joven cruzaron la calle hasta la iglesia. En ese instante se escuchó una ráfaga de balas. Alguien gritó, ¡mataron al padre Sergio!

Empezó a caer un aguacero demencial, como si el cielo reclamara toda la sangre que se derramó ese día. Según la información que apareció en *El Espectador* al día siguiente, la orden la impartió el jefe paramilitar Fidel Castaño en el cuartel general de Las Tangas, situado a poca distancia de la parroquia.

Cuando le llevaron la noticia al obispo, de inmediato recordó la admonición del capitán, «órdenes son órdenes». El prelado se lo comunicó a Javier Giraldo, quien se hizo cargo de la denuncia, y le insistió que diera una declaración al respecto. El obispo se negó alegando que el capitán se lo había dicho aparte y era la palabra de él contra la del oficial.

«A Sergio lo mató el mural». Esas son las palabras que pronunció un capitán de la Policía que colaboró en la investigación. Sin embargo, todos sospecharon que al que buscaban era al padre Calderón. Pese a que Sergio era el que había mandado construir el mural, Mario era el que desafiaba con más encono y señalaba a los agresores.

«¡Usted se marcha ya!», le dijeron a Mario los compañeros jesuitas. Sin más preámbulos, lo despacharon en un avión ese mismo día antes del entierro de Sergio. Mario tuvo que salir con lo que tenía puesto y con el corazón desgarrado. Ni siquiera pudo asistir al funeral de su compañero y amigo. Tiempo después regresó disfrazado y en total clandestinidad a recoger sus cosas, especialmente sus libros y sus manuscritos personales.

La experiencia de Tierralta tuvo un gran impacto en la vida de Mario. Su vocación hacia las causas sociales se acentuó, pero su confianza en la Iglesia jerárquica tradicional sufrió un quiebre irrevocable. Javier Giraldo cuenta que Mario llegó desilusionado del sacerdocio: «Aquellos valores y utopías que habíamos construido juntos se mantenían incólumes, pero las estructuras externas ya se habían vuelto demasiado estrechas para su pasión por la libertad». Su vida se encaminó por un nuevo sendero. A su regreso a Bogotá, Mario se fue a vivir a La Candelaria en un gesto que hacía evidente su separación de la Iglesia.

Obispo de Oriente

Cuando Mario se reintegró al Cinep, los amigos lo recibieron con beneplácito. Regresaba su guía, el líder y el Obispo de Oriente. La experiencia en Córdoba le había dejado una desilusión con la Iglesia y un sabor amargo que se ahondaban cada vez más. En esa época, se afianzaron sus convicciones como líder espiritual sin ortodoxias de un conglomerado que había constituido unos años antes: la Diócesis de Oriente.

En una visita a Bogotá para recoger material para su tesis, durante sus años en París, sus amigos lo nombraron Obispo de Oriente. Fue Carlos Salgado el que tuvo la idea de endilgarle ese título pontifical. Parecía una tomadura de pelo, pero no lo era. Mario se había convertido en este cuasi profeta que actuaba como el asidero espiritual de sus amigos. En una ceremonia que reunió todo lo que ellos consideraban esencial, lo ungieron como el Obispo de Oriente.

Cuenta Marco Raúl que esa tarde se encontraba el grupo de amigos de La Candelaria celebrando una de sus reuniones al calor de salsa, bareto y ron (Sabarrón) cuando comenzó a sonar la canción «Oriente», de Henry Fiol.

Oriente
si yo pudiera
cantarle
como deseo...
La tierra
donde Maceo
alcanzó
la luz primera
Oriente.

Mario, un poco prendido, se levantó, alzó la mano y lanzó la proclama que dio por inaugurada la Diócesis de Oriente:

—Oiga, ese es el himno de la Diócesis de Oriente. Escuchen bien. ¡Esta diócesis va a ser la primera herejía latinoamericana y vamos con ella por el mundo!

Todos lo aplaudieron y celebraron sus palabras. Entonces, Mario pronunció el lema que le otorgaría el carácter particular a la Diócesis:

—¡Porque el sol jamás saldrá por el norte!

Este lema se convirtió en la consigna que se empezó a difundir entre los círculos que frecuentaban los compañeros de La Candelaria y que adquirió reconocimiento con el correr de los años.

Hoy te ofrezco
esta quimera
como una simple
comedia
que eres tú
mi enciclopedia
por ser
la madre
completa,
Oriente.

La Diócesis tenía el sentido de recuperar las filosofías de las culturas que surgieron en Egipto, China, India, Japón, y que, según Mario, eran mucho más profundas y sabias que las de Occidente. Él profesaba una adhesión hacia el pensamiento de las culturas orientales que databa de milenios atrás y que consignaba el conocimiento de civilizaciones mucho más avanzadas. Los europeos habían tomado muchas de esas concepciones, pero las habían contaminado con doctrinas que limitaban el pensamiento.

En medio de su crisis, Mario acentuó su compromiso con la Diócesis y asumió un trabajo de predicar su espiritualidad como la concebía él. Lejos de considerarse un representante de Dios en la tierra, como proclamaba la doctrina católica, Mario comulgaba con la idea de los primeros cristianos: la de compartir y transmitir las ideas dentro de un ambiente de fraternidad. Exploraba y aplicaba los simbolismos de las tradiciones antiguas arraigadas en los elementos: el agua, la tierra, el fuego y el aire. Más importante aún, consideraba fundamental el diálogo intereclesial. Por eso, buscó y dio a conocer la Diócesis de Oriente en los movimientos ecuménicos donde se encontraba con los cristianos, ortodoxos, anglicanos, judíos, musulmanes, budistas y representantes de todos los credos. Según Carlos Salgado, Mario tendió puentes para unir las distintas tradiciones sin entrar en conflicto con los elementos que las diferenciaban.

Parte de su trabajo como Obispo de Oriente se enfocó en el acercamiento a la religiosidad popular. Gracias a su trabajo con organizaciones periféricas de la ciudad y a su defensa ambiental, afianzó el compromiso de luchar contra la injusticia en la distribución de los bienes y a cuestionar la manera como se gestionaban los recursos y se vulneraba a la gente en sus derechos fundamentales. Para qué servía la religión, se preguntaba, si estos derechos no eran tenidos en cuenta. La Diócesis pasó de ser una tomadura de pelo a convertirse en un asidero. Mario distribuyó cargos entre sus seguidores: Camilo Borrero fue nombrado segundo escribano de oriente; Juan Gaviria se convirtió en el cronista; Marco Raúl sería el obispo sustituto; Carlos Salgado, el encargado de la gestión social; Pacho Ariza era el pintor; y Alejo Triana, el asesor jurídico.

En esa época, se afianzó la amistad con el combo de La Candelaria: Carlos Salgado, Camilo Castellanos, Marco Raúl Mejía, Santiago Camargo, Juan Gaviria, Alejo Triana, Camilo Borrero y, por supuesto, Gabriel Quiroga. Gabriel era un personaje a quien todos respetaban. Era pintor y poeta; proclamaba la paz y la armonía, y se preciaba de llevar toda su vida en una mochila. Con ellos conversaba, debatía, rumbeaba y celebraba rituales de la Diócesis. Siempre al amparo de unos rones y de música salsa o de carrilera. La canción «Oriente», de Henry Fiol, amenizaba los convites y Santa Zita, una estatua de tamaño natural que Juan le había comprado a un viejo vecino comerciante de antigüedades, hacía de matrona de las parrandas.

Cuenta la leyenda que Santa Zita era una sirvienta de un castillo medieval italiano del siglo XIII, canonizada por haberse encontrado su cuerpo incorrupto doscientos años después. La santa se convirtió en la imagen sagrada y emblema de la Diócesis: una mujer vestida en traje sencillo con un delantal atado a la cintura, que llevaba una corona de espinas en su pecho y un cántaro en la mano. Representaba todo lo que ellos encarnaban: la lucha por los oprimidos y los menos favorecidos. Constituía, así mismo, el culto a una efigie que se podía considerar virgen, santa, madre y compañera. También se habían conseguido unos copones de varios tamaños que hacían de cálices de las ofrendas que libaban en sus convites.

Los miembros de la Diócesis se congregaban el primer jueves de cada mes —los Jueves de Ron— a conversar y a comer sancocho de pescado acompañado de ron Tres Esquinas. Ya avanzada la noche, con varios rones encima, los amigos alegrones salían en procesión por las calles de La Candelaria llevando como estandarte a la Santa Zita, y entonando a voz en cuello las estrofas de Oriente:

Como
una salutación
a todos
los orientales

> *de tan dignos*
> *ideales.*
> *Con el corazón*
> *Le doy, orientales*
> *La expresión*
> *más natural.*
> *Ay, yo me voy a morir*
> *(Oriente).*
> *Yo me voy a matar*
> *(Oriente).*

Como complemento a estos rituales lúdicos y religiosos, a Camilo Castellanos se le ocurrió fundar la editorial El Garfio. Publicaban libritos que distribuían entre los amigos y conocidos sin costo alguno. Trataban temas de interés común: poesía, relatos y cuentos cortos. Algunos textos eran de los integrantes de la Diócesis y del Cinep y otros pirateados sin escrúpulos. El emblema de El Garfio reflejaba el espíritu de la colección: un pirata con un ojo vendado y un garfio en su mano izquierda. Lo complementaba el logo de la Diócesis, diseñado por Pacho Ariza: una brújula que señalaba hacia el oriente desde el ápice de una hoja de cannabis aserrada en el centro del círculo. En la parte superior, se leía la inscripción: «El sol jamás saldrá por el norte».

Mario participó en esta empresa con varios de sus textos y poemas. Fue también un aliciente para afrontar la crisis de identidad que lo acometió en esa época. Se preguntaba si tenía sentido continuar con el sacerdocio aferrado a una institución que le exigía un compromiso de vida y de obediencia a unas doctrinas con las que entraba en conflicto permanente.

Santa Zita se convirtió en la imagen
sagrada de la Diócesis de Oriente

Mario regentando como Obispo de Oriente

6. CONEXIÓN CINEP

Entonces, empezó a sentirse aburrida en aquel palmar. Una noche de viento del sureste, partió sin decir adiós... Se cansó de andar y durmió. Cuando la despertó la sed, el sol ya estaba alto y no pudo recordar sus sueños. Mirando en rededor no descubrió nada interesante. Sólo un ficus pequeño, que crecía junto a ella. Se llamaba Suan. Hacía rato que Suan se había percatado de su presencia, pero fingía ignorarla... o estaba preocupado por alguna cosa. Nunca se sabe. Lo cierto fue que ella le ofreció unos granos de maní y él le buscó agua.

—MARIO CALDERÓN

FUE POR ESA ÉPOCA que Mario conoció a una muchacha joven recién egresada de la carrera de Comunicación y Tecnología Educativa que le atrajo por su singular elegancia. Todas las miradas estaban fijas en ella, por su porte y por el parecido con la actriz Julia Roberts. Elsa Constanza era una mujer que impresionaba por ser bien vestida, bien educada, bien inteligente, y bien dispuesta a dejarse seducir por un tipo que ella consideró apuesto y seductor.

Los encuentros se limitaban a conversaciones casuales en la cafetería y en los pasillos. Elsa le pedía consejo sobre sus artículos y las notas que comenzó a publicar en la revista *Cien Días*. Mario descollaba por su pluma fina y por su amplia gama de conocimientos. No hay nada que más enamore a una mujer que un hombre inteligente y sensible.

Una tarde en que Elsa caminaba desde el Cinep hasta su apartamento por la avenida Quinta, él la observó desde el carro en que viajaba con Camilo Borrero. Su comentario fue:

—¡Pilas! Esa mujer es de cuidado. Mire qué elegancia. Camina como una gacela.

Camilo le respondió:

—Y usted con esa facha. Le va a tocar cambiar de pinta.

Mario presintió que para atraer a Elsa tendría que cambiar algunas premisas de su informalidad. En realidad, Mario no pasaba desapercibido y a Elsa también le había impresionado ese cura *sui generis*.

Un día Elsa llegó a su apartamento de las Torres del Parque, donde vivía con sus dos hermanas, Elvira María y Nohora. Les dijo:

—Imagínense que en el Cinep hay un tipo igualito a Sean Connery: alto, moreno, de mirada profunda y con una sonrisa pícara que asoma en medio del bigote y una barba frondosa.

Elvira María quiso saber más:

—¿Cuántos años tiene?

—Es un poco mayor y tiene un estilo muy particular. Se pone un gorro que lo hace ver como un árabe y anda con arete de pluma en la oreja izquierda. Lo que me impresiona es su forma de hablar: sencillo, franco, irreverente y *mamagallista*. Siempre tiene el comentario audaz. Ángela lo definió muy bien: «En lenguaje sencillo reparte consejos de refinada erudición».

—Entonces, ¿cuál es el problema? —quiso saber Nohora.

—Bueno, tiene un pequeño problema: es cura.

Pese a que el ambiente en el Cinep era muy abierto, este pequeño detalle no pasaba desapercibido por los superiores jesuitas.

Cuenta Lucha que un día fue al Cinep a encontrarse con Elsa. Ella vio a un hombre barbudo de ojos grandes y profundos en uno de los pasillos y le preguntó: «¿Quién es ese churro de hombre?». Elsa le respondió en tono severo: «Ni lo mires… Es cura».

Como buen anarquista y reacio a los formalismos, Mario sabía *encarretar* y seducir. Poco a poco fueron pasando de las conversaciones en la cafetería al ¿te acompaño al apartamento? Como Mario no tenía carro, salían en bus o a pie. Luego, se encontraron en las rumbas de La Candelaria, donde él vivía con su combo de amigos bohemios. Elsa era amante de la salsa, el merengue y el son cubano. Mario prefería la música de carrilera, el tango, la zamba y las flautas andinas. Ambos disfrutaban las lecturas de autores latinoamericanos. Se descubrieron en el *Canto general* de Neruda, en los cronopios de Cortázar y en los laberintos de Borges. Elsa aprendió sobre autores franceses y alemanes que Mario había importado de París y Mario se compenetró con las teorías de comunicación que absorbían a Elsa. Fue como si se encontraran en las chispas que desatan el fulgor de una hoguera. Se conectaron tanto en los gustos y curiosidad intelectual, así como en la espontaneidad y rebeldía que ambos compartían.

En ese tiempo, el Cinep adelantaba varios proyectos de desarrollo social en Cartagena. Mario trabajaba con programas ambientales y Elsa en un proyecto de madres comunitarias. Los viajes a esta ciudad caribeña se convirtieron en aliciente y pretexto para dejar de lado las aprehensiones. Al término de la jornada laboral se iban a caminar por las murallas del Fuerte San Felipe, tomados de la mano; sus siluetas reflejadas por el crepúsculo sobre el mar Caribe.

¡Ay, Mario!, le decía Elsa cuando él lanzaba un chispazo de humor. *¡Ay, Elsita!*, le respondía él, y se fundían en un abrazo.

A partir de ahí se hizo evidente que ellos se convirtieron en una pareja. El trabajo conjunto estrechó los lazos a medida que Elsa y Mario se encontraban en todos los temas que los unían. Fue una relación que surgió del trabajo comunitario y de la sensibilidad hacia las causas sociales.

Cuando Elsa publicó su primer artículo en *Cien Días*, titulado «La guerra de la información», fue un texto escrito a tres manos con Luis Fernando Barón y Mario Calderón. El artículo ponía sobre el tapete el uso de estrategias de desinformación para favorecer el discurso oficial. Ellos sostenían que la falta de objetividad de las fuentes periodísticas permitía estrategias disimuladas para distorsionar y manipular la opinión pública. Fue la primera colaboración con Mario y quizás un punto de arranque, en el que Luis Fernando Barón fue puente, catalizador y celestino en medio de la pareja. El artículo fue publicado bajo la firma de Elsa Barón de Calderón.

Mario fue instrumental cuando ella colaboró en la producción de los videos *Flying South*, de Felipe Paz, y *15 años de historia*, de Colbert García. Eran proyectos nuevos y desafiantes.

Elsa le consultaba a Mario y sus aportes eran acompañados del apoyo y seguridad que él les imprimía a sus tareas: *bacano, chévere. Adelante, compañerita. Pero, quita ese cliché aquí, no utilices frases hechas… Bájale lo ladrilludo.*

Como buen paisa, Mario la enamoró con la palabra, aseguraba Elsa, pero también con su carisma y sentido del humor. No obstante, fue en Sumapaz donde floreció la pasión.

7. SUMA-PAZ

No sabemos, no hemos averiguado, qué significa la palabra
«suma-paz». Ignoramos aún si es castellana, muisca o si es
un neologismo. En todo caso, y mientras lo averiguamos, los
veintisiete locos verdes que conformamos la Asociación Reserva
Natural Suma-Paz decidimos descomponer la palabra en dos
y meter entre las dos una rayita, un guion, una relación que
construya diferencia e identidad a la vez: Suma-Paz.
—MARIO CALDERÓN

SUMAPAZ ES ESO Y MUCHO más. Es el nombre del páramo, del río,
de la provincia, del parque y de la región. El río Sumapaz recorre la vertiente occidental de la cordillera oriental en el centro de
Colombia. Nace a tres mil metros de altura, en las cumbres del
páramo a partir de los frailejones, que absorben la condensación
de las nubes como esponjas y la vierten en goteo en pequeños
nacimientos de agua. Las fuentes naturales serpentean desde las
cumbres heladas en pequeñas corrientes que se alimentan de otros
nacimientos y se convierten en ríos y quebradas: el Corrales, Pilar,
Negra, San Juan. Estos riachuelos transitan por entre senderos y
cañadas y por entre los quiebres de la cordillera serenos hasta que
desembocan en el Sumapaz. El río puede ser apacible cuando sur-
ca en aguas mansas espumosas, o violento, cuando se torna cau-
daloso durante la época de lluvias, y en su trayecto embiste contra
rocas, puentes y riberas arrasando sin piedad. Cuando desemboca
en el río Magdalena, su caudal es potente y en su afluente descarga
el peso ancestral de su historia y los conflictos que surgen en su
recorrido.

La región de Sumapaz en su totalidad es un depósito y
surtidor de agua que Mario Calderón bautizó como *República*
de las Aguas. Se considera uno de los pulmones más importantes
del norte de Suramérica, generador del recurso hídrico de mayor

potencial para el centro del país. Es el páramo más grande de Colombia, país que alberga la mitad del área total de esos ecosistemas en América. La región comprende una de las reservas de fauna y flora en mejor estado de conservación. Al mismo tiempo, es una de las zonas más amenazadas, precisamente por su riqueza natural. El bosque de niebla, situado a los dos mil metros de altura, es codiciado por su potencial maderero, y la región adyacente, por sus recursos petroleros. Además, la ubicación privilegiada, como convergencia de varios departamentos: Huila, Tolima, Meta, Cundinamarca y el Distrito capital, convierten irónicamente a Sumapaz en una suma de conflictos.

La reserva

Desde la primera vez que visitó Sumapaz, Mario se fascinó con lo que ofrecía ese *campo prestado del señor.* En el páramo se concentraba todo lo que él anhelaba: un ecosistema inexplorado con agua a raudales, tierra esponjosa, bosques infinitos, fauna y flora diversa y con propiedades únicas. El páramo ofrecía, por sobre todo, una comunidad de campesinos que lo acogieron desde el primer momento. Entonces, acuñó la frase que definiría el proyecto: «Si Santo Tomás pudo tener su *Suma Teológica*, yo puedo tener mi *Suma Paz*».

Luz Beatriz Gaviria, a quien llamaban *la Mona*, fue quien lo introdujo en los temas del ambientalismo con técnicas, metodologías y herramientas científicas. Ella lo invitó a conocer la región y propuso la creación de la Reserva. Los primeros en llegar fueron Andrés y Claudia. Ellos habían comprado unos terrenos en 1984. Más adelante, fueron apareciendo Gabriel, Marisol, Emilio, Luz Beatriz, Catalina y Juan Manuel, y, detrás de ellos, quince locos más. Este grupo de amigos se unió para conservar los recursos y emprender una campaña de concientización.

En 1989 fundaron la Reserva Natural Suma-Paz. Su misión era impulsar la protección, uso y conservación del paisaje. Además, intentaban recuperar los recursos hídricos, las especies biológicas y recursos genéticos en beneficio de las generaciones presentes y futuras. El proyecto se enfocaba en la protección del ecosistema, pero también incluía la recuperación de memoria de la región a través de talleres de concientización con los habitantes de Sumapaz. Pretendían generar acciones concretas para crear conciencia ciudadana en defensa del agua, del territorio y de los recursos del páramo. No era un trabajo fácil cuando las compañías madereras, mineras e hidroeléctricas intentaban acaparar la región con proyectos económicos que prometían empleo y recursos, pero a un costo ambiental irremediable.

Cuando Catalina y Juan Manuel adquirieron unos terrenos, le propusieron a Mario que construyera una casa en un valle donde se encontraba una cabaña medio derruida. Así lo hizo. Elsa llegó a principios de los noventa y también se enamoró del lugar. Con los recursos que encontraban a mano elaboraron los planos de una vivienda rústica utilizando materiales reciclables y ecológicos. La fueron construyendo poco a poco, los fines de semana y en vacaciones. Nunca la vieron terminada en su totalidad.

A Mario no le quedaba tiempo. Cada vez que iba a Sumapaz, trabajaba en la construcción de la vivienda, pero también en los talleres con los campesinos y en los grupos comunitarios. Además, ejercía de líder y oficiaba rituales en consonancia con su cosmovisión del mundo y su comunión profunda con la naturaleza. Los campesinos lo adoraban. Cuando llegaba, paraba de casa en casa; un trago aquí, una limonada allá. Lo que fuera. Él los escuchaba, los aconsejaba, les ponía trabajo. Era el que oficiaba los bautismos y matrimonios; el que administraba consejos y generaba proyectos comunitarios.

Cuenta Leopoldo Múnera que, en uno de sus viajes a la Reserva del Suma-Paz, Mario lo invitó a subir al páramo desde el bosque de niebla. Le advirtió que antes de emprender el camino, debería recordar a Spinoza. Leopoldo, un profesor de la Universidad Nacional, especializado en Filosofía, compartía la pasión por Spinoza con Mario, pero en ese momento no comprendió la propuesta de su amigo.

Al iniciar la marcha, Leopoldo tuvo mucha dificultad para avanzar. Grande y pesado, se hundía en el lodo o se enredaba entre las raíces. Al contrario, Mario se desplazaba con agilidad y conocimiento del terreno.

—Hermano, yo creo que tenemos que leer más a Spinoza —propuso Mario.

—¿Por qué cree eso?

—Porque si leemos a Spinoza vamos a entender cómo podemos perfeccionar nuestra potencia al enlazarla con la potencia de los árboles y la naturaleza.

Leopoldo, agotado por el esfuerzo y desesperado por la lentitud de su andar, aceptó la sugerencia:

—Sí, más bien volvamos y charlamos sobre la *Ética* y el *Tratado político*.

Esa noche los dos amigos discurrieron alrededor de la filosofía de la inmanencia y reflexionaron sobre la potencia y la forma como el ser humano puede realizarse mediante la relación con la naturaleza. Todo esto al calor de la chimenea y de unos roncitos para darle vuelo y sabor a las ideas.

Al día siguiente emprendieron la subida, pero Leopoldo se quedó atascado de nuevo. Entonces Mario le dijo:

—No se preocupe, gordo, continuemos con la conversa y olvidémonos de llegar al páramo. Al menos por hoy.

Según Leopoldo, Mario tenía una visión integral de los derechos, no solo del ser humano, sino de la naturaleza. Su trabajo en el Sumapaz le permitió converger su pensamiento filosófico con el espiritual y el ecológico, y aplicar los conocimientos comunitarios aprendidos en Longo Maï.

MARIO TENÍA TANTOS PLANES para la región. Su sueño era construir una legión de cultivadores de agua con los habitantes del páramo. Era un proyecto simple pero riesgoso. El nuevo pensamiento que se proponía cuidar la naturaleza subvertía el orden establecido, que se proponía destruirla. Sabían que estaban en medio de la zona de mayor producción de agua del centro del país. También, en el centro de la confrontación.

La voz del agua

> *De tiempo en tiempo la sagrada serpiente, Bachué, símbolo*
> *de la sabiduría, vuelve a deslizarse sobre las aguas serenas*
> *de la laguna de Iguaque, para recordarle al género humano*
> *que debe respetar los preceptos enseñados por ella.*

Mario acostumbraba a empezar sus charlas con la leyenda de Bachué. Los campesinos del páramo lo escuchaban con atención. La leyenda se refería a la diosa mítica, que le había enseñado a su pueblo a cultivar la tierra y a cuidar el bosque. Bachué había retornado a la laguna de Iguaque convertida en serpiente y desde allí custodiaba a sus creaturas. El mito de Bachué poblaba el imaginario de los habitantes del altiplano cundiboyacense, pues era de las pocas leyendas que había sobrevivido a la devastación de la conquista. Luego los animaba a que ellos mismos recordaran sus historias, las de los abuelos y los tatarabuelos. Quería que ellos mismos construyeran la memoria de la región y se hicieran parte de esta. Para esto utilizaba varios métodos en talleres de recuperación de la memoria: diarios, mapas y entrevistas.

Mario lideraba el grupo de asesores del programa Cultura Ciudadana del Instituto Distrital de Cultura y Turismo. Ese cargo le dio la oportunidad de divulgar su compromiso con el cuidado del agua y los recursos naturales. Su lucha por comprender los ciclos de agua y su sostenimiento lo resumía en el manifiesto *La voz del agua*:

> *Aunque parezca lección de primaria, debería comenzarse por recordar que el ciclo del agua es planetario: el sol calienta las superficies acuáticas, este vapor de agua asciende a la atmósfera y, al enfriarse, se condensa y vuelve a caer en forma de lluvias. En cada región del planeta, los vientos y las montañas intervienen en el ciclo del agua. En el caso de Bogotá, las montañas y los páramos son necesarios para que las lluvias sean conservadas y luego entregadas a nosotros a través de lagunas, arroyos, quebradas y ríos.*

Las proclamas de Mario alertaban sobre los modelos de manejo de agua que contaminaban las reservas y agotaban las fuentes existentes. En un país como Colombia tan rico en recursos hídricos, era absurdo pensar en un agotamiento de fuentes de agua, pero eso ya estaba sucediendo a principios de los noventa cuando la conciencia ambiental era casi inexistente. Su bandera era acometer una cultura de protección de agua que incluyera desde fuertes sanciones a los despilfarradores, hasta el conocimiento profundo de los ciclos del líquido. Mario instruía sobre las alternativas de uso, el manejo y el tratamiento, el carácter limitado y la necesidad de entender que «el agua no se crea, ni nace, ni se inventa; solo tenemos la que ya existe, que circula por toda la tierra y se está contaminando cada día más».

Advertía que pronto llegaría a un punto irreversible, en el que el agua perdería sus características para uso productivo y para el consumo animal, vegetal y humano. El agua se convirtió en su profesión de fe y en un compromiso espiritual:

> Mientras no conozcamos los ciclos de la naturaleza, el funcionamiento de los ecosistemas y las diferentes formas de interrelación de los elementos naturales que afectan nuestras vidas, no vamos a entender por qué cada una de nuestras actividades afecta y está afectada por el entorno natural. Es indispensable que la dependencia del hombre para con el mundo natural se integre como parte visible y viviente de su cultura.

Pronosticaba que, si seguíamos con los modelos existentes de manejo de agua, pronto tendríamos que ir más lejos por ella, hasta que se convirtiera en artículo de lujo y las guerras del agua se salieran de control.

Cuando los miembros de la Reserva empezaron a reunir a la gente para trabajar sobre la conservación del agua, los campesinos se preguntaban si sería que en el lugar había tesoros escondidos. Los guerrilleros los miraban con desconfianza y los militares los señalaban de subversivos. Nadie podía comprender por qué un grupo de jóvenes profesionales de la ciudad pasaban los fines de semana y las vacaciones dedicando sus ahorros y sus esfuerzos a cultivar el agua, a limpiar el aire y a hablar de paz. Los guerrilleros los dejaban en paz porque los consideraban unos *hippies* y los llamaban *los locos verdes*. Pero no todos los sectores enfrentados se sentían cómodos con la influencia que ellos ejercían en los campesinos de la región.

Tertulia ambiental

El Cinep creó un comité ambiental, integrado por Luz Beatriz Gaviria, Claudia Ángel y Mario Calderón. En junio de 1990, los miembros de la Reserva Suma-Paz decidieron hacer una convocatoria en la que invitaron a organizaciones que trabajaban con proyectos ambientales del Tolima, del Valle y del Cauca. La reunión se llevó a cabo en el Cinep. El primer día lo dedicaron a dar a conocer la Reserva de Suma-Paz, los objetivos del proyecto y los planes a largo alcance. La intención era hacer visible el trabajo de conservación ambiental, desde la sociedad civil y la propiedad privada, y no solo desde el Gobierno, como sucedía hasta ese momento.

El segundo día los asistentes realizaron una visita al proyecto del páramo de Sumapaz, al que asistieron cuarenta ecologistas de todo el país. Elsa estuvo a cargo de la organización del evento y se preocupó por todos los detalles. Ella diseñó los programas y los afiches. Ordenó las escarapelas plastificadas que entregó a cada uno de los participantes. El día de la visita organizó las camionetas de transporte y repartió a los invitados un folleto que describía la zona y contenía el cronograma de actividades del día. Catalina, que conocía a Elsa de manera informal, afirma que quedó impresionada con el nivel de profesionalismo que demostró como funcionaria del Centro.

Al término del encuentro se fundó la Asociación Colombiana de Reservas Naturales de la Sociedad Civil (Resnatur). También se acordaron varios proyectos, entre esos, una investigación destinada a escribir sobre la historia del poblamiento y cambio de paisaje en la región de Sumapaz, financiado por el Instituto Colombiano de Antropología e Historia. Esta primera iniciativa pretendía entender la relación de los campesinos con la historia del páramo, así como el cambio del paisaje a lo largo del tiempo, visto por los pobladores.

El proyecto de historia y paisaje les permitió comprender que en el Sumapaz se enfrentaban a una historia de guerras y luchas agrarias. Sumapaz se identifica como un territorio de exclusión o zona roja debido a su historia de violencia durante el siglo XX. Cuando llegaron los primeros desplazados de la Guerra de los Mil Días, la región era el foco de confrontaciones entre campesinos y terratenientes. Los primeros trabajaban la tierra, mientras los segundos se autoproclamaban propietarios. En los años treinta, la Ley de Tierras promulgada por López Pumarejo provocó la segunda oleada de emigración campesina hacia la zona y nuevas confrontaciones con los dueños de la tierra. En la década de los cincuenta, se caldearon los ánimos durante la época de la violencia. Un líder campesino, Juan de la Cruz Varela, se sublevó y emprendió una cruzada por la tenencia de la tierra con justicia social. Varela fundó el Sindicato de Trabajadores Agrícolas de Sumapaz (Sintrapaz). Desde entonces, el sindicato se mantenía unido, pero por la naturaleza de su trabajo los acusaban de guerrilleros. El legado de Varela continuó a lo largo de los años en medio de incursiones guerrilleras y militares hasta que los conflictos se incrementaron en la década de los noventa como resultado de varios factores políticos.

Cuando los ambientalistas llegaron a finales de los ochenta encontraron grupos organizados políticamente celosos de su cultura y de su tradición. Eran campesinos arraigados en la zona que poseían títulos de tierras. Allá también se encontraban focos de las FARC, pero mutuamente se respetaban. No fue hasta 1990 cuando el presidente César Gaviria atacó Casa Verde en La Uribe —el cuartel general de las FARC— que las cosas cambiaron. Los combatientes se dispersaron por el Huila y Tolima, y llegaron a instalarse en la zona de Cabrera en el páramo. Cabrera se convirtió en un bastión del partido formado por las FARC y la Unión Patriótica.

A PARTIR DEL PROYECTO de Poblamiento y Cambio de Paisaje, los ambientalistas entendieron que el enfoque tenía que ser en la relación entre el medio ambiente y la paz. Los resultados del estudio establecían que existe una relación entre la influencia que cada proceso de paz ha tenido en la transformación del paisaje de Sumapaz. Esto dio pie para vislumbrar la forma como se podría influir en los procesos de paz que se negociaban en esa época, de manera que el Sumapaz empezara a impulsar el objetivo ambiental. No obstante, la situación en la región no dejaba de ser alarmante y de riesgo para los miembros de la reserva.

En la tertulia ambiental del Cinep se discutía la necesidad de establecer políticas ecológicas que se regularan a través del Estado. Sabían que de otra forma los gobiernos no serían capaces de conservar los recursos. Era necesario convencer a los sectores privados interesados en la protección ambiental, así como a personas y organizaciones ambientalistas, de adquirir partes del territorio y dedicarse a conservar y a defender los ecosistemas. A esta tertulia se vincularon científicos sociales, biólogos, ecólogos e ingenieros. Los ambientalistas presentaron propuestas al Estado y a las entidades respectivas. Finalmente, sus propuestas fueron acogidas y se logró la inclusión del derecho a un ambiente sano como parte de los derechos fundamentales en la nueva Constitución de 1991. Como resultado, se promovió la integración de la Red de Reservas para aunar esfuerzos entre las organizaciones ambientales en el cuidado de los recursos y del medio ambiente.

En 1993 se suscribió la Ley 99 del Medio Ambiente, que reconoce el derecho a un ambiente sano y la posibilidad de conservar los recursos desde la propiedad privada. Recogía la propuesta de los ambientalistas de apoyar el modelo de Resnatur, que reúne a todas las reservas del país. Posteriormente se fundó la Corporación de Gestión Ambiental (Ecofondo) y el Instituto Von Humboldt para la conservación de la biodiversidad. Más adelante, surgieron otros grupos preocupados por la conservación y la preservación de ecosistemas en territorios vulnerables.

Se iniciaba una era de conciencia ambiental y de preservación de los recursos naturales que involucraba a todos los sectores: el Estado, los gremios, las organizaciones y las instituciones educativas. Era apenas el comienzo de un movimiento de defensa de los ecosistemas que tomaba fuerza en diversas latitudes.

Suma de paz-Suma de amor

Cuando Mario llevó a Elsa por primera vez a Sumapaz, ella no podía creer la belleza que se extendía a sus pies. Como buena citadina, estaba acostumbrada a salir de la ciudad a los sitios de recreo de la Sabana o a la finca de Yaví de la familia Alvarado en Tolima. Nunca se imaginó que no muy lejos de Bogotá se encontraba un espacio paradisiaco como el que se ofrecía ante sus ojos. Mario la llevó por los bosques de niebla y le enseñó los riachuelos cristalinos de agua helada que surcan las montañas. Y allá caminando por los senderos destapados, encaramada en caballos o a lomo de mulas, aprendió sobre espeletias y siete cueros; reconoció las gallinetas y los azulejos; descubrió los nacimientos de agua y se embelesó con los paisajes bucólicos del bosque de niebla. Allí se encontraron como raíces en los suelos frágiles esponjosos del páramo. Como vasos comunicantes, entrelazaron sus energías proyectando una luz de armonía que trascendía a quienes los rodeaban. Sus ritmos se sincoparon entre las ninfas del bosque y las anémonas del río. Las cascadas gélidas sobre sus cuerpos obraron como aliciente y despertaron sensaciones desbordantes de deseo.

Nunca sabremos a ciencia cierta en qué instante se prometieron amor eterno y entrega total. Tal vez no lo hicieron y prefirieron navegar sobre la incertidumbre del destino. Lo cierto es que Sumapaz fue el escenario donde el amor floreció y rebosaron de felicidad. Siempre se les vio radiantes, plenos, explosivos. Fueron felices en demasía, asegura Marisol. Sumapaz fue el epicentro de su felicidad.

Mario y Elsa se enamoraron de Sumapaz como un compromiso de amor entre los dos. Su relación se cimentó alrededor de los proyectos que ambos asumieron. En Sumapaz, Mario encontró el terreno propicio para poner en obra lo aprendido en Longo Maï y tuvo la fortuna de que los amigos de Suma-Paz le llevaran la cuerda. Elsa, como aliada y compañera, pronto demostró su liderazgo y se hizo cargo de proyectos de promoción de la cultura del medio ambiente y de proyectos comunitarios. Ambos compaginaron sus directrices profesionales con el proyecto de vida que se cifraba en ser parte integral de lo que ambos denominaron Suma de paz-Suma de amor.

Elsa y Mario en Quebrada Negra

En la casa del monte con varios de sus compañeros de trabajo

8. VIERNES

Opinión pública

Los medios se mueven en la esfera de la información, pero también en la de la formación. Y su efecto formativo o educativo puede ser positivo o negativo. Tienen una responsabilidad social con el país en la medida en que poseen un enorme potencial para propiciar una cultura democrática y promover códigos de ética civil y de tolerancia.
—Elsa Alvarado

El viernes Elsa amaneció enferma y decidió no ir al trabajo para cuidarse la gripa. Mario se sentía mejor y salió a atender los asuntos que habían quedado pendientes durante la semana. Elsa intentó apaciguar el malestar con agua de panela y aspirinas y trató de dormir, pero no pudo. El tráfico pesado que circulaba por la carrera quinta impedía el reposo. Se asomó a la ventana varias veces intentando mimetizar los sonidos de la calle. No lo logró, pero sí advirtió la presencia de un Renault rojo que merodeaba por el sector. Lo vio en la mañana aparcado en una esquina con un sujeto sospechoso de contextura gruesa que parecía vigilar la cuadra. Más tarde, lo divisó en la otra esquina. Cuando Arnulfo le trajo un mandado, le preguntó si sabía a quién pertenecía ese Renault. El portero le confirmó que le había llamado la atención ver el auto dando vueltas por el barrio desde el lunes pasado.

Su vecina y colega Martha la visitó en la tarde y le preparó un caldo de pollo. Elsa le contó lo del Renault, y ella le respondió que no se había fijado, pero en cambio el jueves le sorprendió haber visto a dos hombres en una motocicleta recorriendo el sector y mirando el edificio. Elsa se sobresaltó y no pudo reprimir un escalofrío. La vecina le preguntó que ocurría.

—El lunes pasado nos pararon en un retén al salir de la finca. Nos hicieron una requisa horrible, hasta anotaron las placas

104

y el número del motor. Imagínate, el colmo, nos pidieron la dirección del apartamento.

—¿En serio? ¿La dirección?

—Se supone que deberíamos mudarnos a otro apartamento, pero aquí estamos.

La vecina trató de disimular la preocupación y le dijo en tono conciliador:

—No, mija, tranquila. Ustedes son gente de paz, no le hacen daño a nadie. Su trabajo no tiene nada que ver con política. ¿A quién le podría interesar hacerles daño?

Era verdad, ellos no eran figuras políticas ni tenían ninguna visibilidad mediática. Eran simples ciudadanos preocupados por el bien común y por el medio ambiente. Algo tan natural no debería causar desazón. Sin embargo, le preocupaba Mario. Él llamaba la atención por sus denuncias ecológicas y por su activismo social. Jamás se le cruzó por la mente que ella también estuviera en la mira y menos en la seguridad de su apartamento en la zona alta de Chapinero.

Cuando la vecina se marchó, decidió distraerse y comenzó a revisar papeles para las clases sobre opinión pública que debía pasarle a la profesora que la iba a sustituir la siguiente semana. Encontró las revistas *Cien Días*, que guardaba en el estante de libros, y se puso a revisar los escritos que la llenaban de orgullo.

Elsa evocó la emoción que experimentó cuando escribió el artículo que le otorgó el mayor reconocimiento: «La paz en la espiral del silencio». Este texto analiza los caminos que construyen la opinión pública y critica duramente los esquemas que se encuentran detrás de la conciencia moral ciudadana dictados por el poder.

Este artículo fue el resultado de la fascinación que le deparó la teoría *espiral de silencio* de la socióloga Elizabeth Noëlle Newmann. Conoció el libro a través de un seminario de opinión pública en el Cinep. Los investigadores interesados en el tema se reunían cada ocho días por tres horas durante tres meses. Después de hacer un recorrido conceptual por Habermas, Böckelmann y los teóricos de ciencias sociales, la propuesta de Newmann la deslumbró. Esta teoría dice dos cosas: sostiene que la espiral de silencio es una piel social. Y asegura que la opinión pública no existe porque la mayoría de las opiniones son silenciadas. Dicho concepto se convirtió en su caballito de batalla tratando de mirar si funcionaba para los asuntos relacionados con el conflicto en Colombia.

En el artículo afirmaba que en las sociedades actuales los medios de comunicación han desplazado a los partidos políticos en su función de orientadores de la opinión:

> En nuestro país, concretamente, es evidente la transformación acelerada de la infraestructura de las comunicaciones y la presencia creciente de los medios en la vida cotidiana. Gobierno, políticos, militares, religiosos, guerrilleros, narcotraficantes, y últimamente hasta los paramilitares —entre otros actores del enmarañado conflicto colombiano—, no desconocen este poder. Por el contrario, han aprendido a aprovechar sus ventajas. Por eso se preocupan por aparecer, por figurar, por participar como voceros y líderes de los grupos que representan o dicen representar. Unas veces, con discursos, otras con hechos, lo importante es que unos y otros aparezcan en los medios. Que sean noticia. Porque ya todos saben que lo que allí no aparece, para los colombianos simplemente no existe.

Según Elsa, la teoría formulada por Neumann, acerca de la creación de opinión pública y el efecto agenda, cumple un propósito en los medios como estrategia de poder:

> Pareciera que los principales actores del conflicto armado en Colombia disputaran buena parte de la guerra en los medios. Se ingenian de una u otra forma para incluir sus actos o sus ideas en la agenda nacional como una medida de fuerza que denota su poder y su posición dentro del conflicto. La información es definitivamente parte de su estrategia.

El artículo destaca que existen disposiciones preexistentes frente a determinados temas en los que se crea un clima de opinión. Este clima puede terminar por envolver a la gente completa y fatalmente, como sucede con respecto a la búsqueda de paz. Advierte que se ha perdido credibilidad hacia la palabra «paz» debido a varios factores. Uno de ellos es «la amenaza del comunismo, que sirve como telón de fondo de la ofensiva contrainsurgente... Así, en los últimos treinta años, cuando se habla de movimientos populares, incluyendo a campesinos, indígenas y obreros, se entiende como sinónimo de guerrilla, y guerrilla es igual a enemigo del *statu quo*».

Por lo tanto, es imperante transformar la opinión pública de todos los sectores incluyendo a los contendientes principales de la guerra:

> Podría decirse que una de las condiciones para la transformación del clima de opinión frente a la paz y la solución negociada de los conflictos políticos del país debe pasar necesariamente por la abolición de las conductas criminales por parte de los combatientes; ejército, guerrilla, paramilitares, etc. Hoy día los colombianos consideran imperativo [eliminar] las conductas atroces, señaladas con claridad por el derecho internacional humanitario.

Pide a la guerrilla respetar las normas del derecho internacional humanitario y al Ejército y Policía, detener las violaciones a los derechos humanos. De esta forma, «la sociedad vería a la guerrilla más desde una perspectiva política y no criminal». El Ejército, a su vez, «sería visto como garante del orden».

Para culminar, destaca la responsabilidad que tienen los medios en la construcción de paz. Propone que los medios deben ser formadores de opinión pública, otorgando información completa desde todos los ángulos. «En la medida en que su carácter masivo logra unificar una percepción de la realidad, inciden en el comportamiento de individuos y grupos, y en la imagen que cada uno tiene del otro».

Este fue el escrito de mayor repercusión en su vida y obra. Le generó reconocimiento como experta en opinión pública, conocedora de agendas y comportamientos de los medios de comunicación. También fue un texto premonitorio al condenar las conductas atroces de los actores armados y al señalar a los militares y paramilitares. Se advierte claramente su actitud neutral frente a los bandos que operaban en esa época. Lo principal es que destaca la necesidad de eliminar las conductas criminales de todos los grupos armados con nombre propio: guerrilla, Ejército y paramilitares.

ELSA TRABAJÓ EN EL CINEP hasta el 30 de junio de 1996. Al parecer, ella se encontraba en una situación de mucha presión entre un sector del Centro que no le perdonaba que hubiera «sacado a Mario del sacerdocio» y otros que halagaban su gestión. Lo cierto es que llegó un momento en que no resistió la presión y tomó la decisión de escribir la carta de renuncia antes de que se la pidieran.

En la carta agradece al Cinep y reconoce que ha conocido «un lugar donde se conjugan la calidez humana y el sentido de solidaridad con un profundo conocimiento de la realidad de este país y el trabajo sincero y activo por su transformación». Concluye con estas palabras premonitorias: «Estoy segura de que estos años en Cinep ocuparán un lugar muy especial en mi corazón y en mi mente».

Cuánto le costó escribir esa carta y esa última línea. Por supuesto, el Cinep ocupaba un lugar muy especial en su corazón. Lo que no sabía era que ella seguiría ocupando un lugar primordial en el corazón del Centro. Elsa se convertiría en emblema y distintivo de la lucha por los derechos humanos del Cinep.

Herejías

El viernes por la tarde Mario acudió a una cita con sus amigos de la Diócesis de Oriente. Para ese entonces, la Diócesis era reconocida como un grupo ecuménico y en calidad de obispo Mario oficiaba bautismos, uniones y rituales que eran seguidos con seriedad por sus adeptos. Ese día se trataba de una reunión de amistad y camaradería. Entre los asistentes se encontraban antiguos miembros de los disoñadores, un grupo que se había conformado en los años ochenta como un manifiesto al derecho a ser y pensar en forma alternativa con un objetivo de transformación social. El fundador era Octavio Duque. Entre sus miembros se contaban intelectuales de diversas disciplinas y provenientes de todas las latitudes, incluyendo escritores de la talla de Eduardo Galeano.

Los disoñadores propusieron charlas y conferencias que tuvieran como base el tema del «derecho a un mundo mejor». De ahí surgieron famosas proclamas como «El derecho a la esperanza», de Francisco de Roux, «El derecho a la ternura», de Luis Carlos Restrepo y «El derecho a la vida», de Ana Teresa Bernal. Mario fue invitado a participar en esta propuesta como parte de una serie de charlas en la Universidad Javeriana bajo el título, *Divagación sobre ternura, utopía y creación*. De ahí surgió el *Derecho a la herejía*, que consigna su pensamiento y filosofía de vida. La primera vez que lo presentó fue ante el público de la Facultad de Ciencias Sociales en la Javeriana en un diálogo con Vicky Zuluaga. Yolanda Zuluaga recuerda el diálogo como una especie de pantomima, para la cual Mario se vistió con una capa y sombrero de caballero español, mientras Vicky lucía un vestido elegantísimo de *femme fatale*. Ante una concurrencia de quince personas, los dos entablaron una deliberación sobre los derechos de la mujer soltera y los conflictos de los herejes más célebres de la historia.

Ese viernes por la tarde, los amigos disoñadores le pidieron a Mario que leyera una vez más su *Derecho a la herejía*. Mario tomó posesión de su rol como líder y comenzó por recordar la tesis que promulgaba en su escrito:

> Herejía: palabra que designa a los sujetos pertinazmente heterodoxos. Los heterodoxos (disconformes con los dogmas) son los sujetos que mantienen una *doxa*, o sea una opinión diversa, y por lo tanto, no ordinaria.
>
> Lo contrario de los herejes son los ortodoxos. Es decir, los que tienen opiniones correctas, ordinarias, aceptadas, decentes, rentables, serias, homogéneas, legitimadas.
>
> Los herejes son sujetos mal vistos, incómodos. Son los malos de la película.

A continuación hizo un recuento de los herejes clásicos: el gran fabulador, Esopo; el nazareno, Jesús; el pacifista irreverente, Gandhi; el filósofo naturalista, Giordano Bruno; el cura guerrillero,

Camilo Torres, y el anarquista, Biófilo Panclasta. Todos tenían en común haber sido rebeldes contra sistemas autoritarios ortodoxos, y haber sido ejecutados por el propio sistema.

> Los herejes son primos hermanos de los profetas. Profetas, en el sentido etimológico de la palabra: *pro-fari*, el que habla delante de los importantes... Habla para develar y desenmascarar.

En el manifiesto reconocía que los profetas y los herejes son emblemas de los procesos de insubordinación en las sociedades.

> Los herejes no tienen derechos. Los ortodoxos los combaten, recordándoles únicamente sus deberes. Deber de someterse, de ser decentes, serios, legitimados, correctos, rentables, aceptados, ordinarios.
> Los herejes no tienen otra alternativa que resistir, desobedecer, ser tenaces e irreductibles.

Mario se presentaba ante sus seguidores como profeta y hereje. Como profeta, convocaba a quienes lo rodeaban. Como hereje, se complacía en desafiar las normas. Ninguno de quienes lo conocieron se sustraía al encanto y al carisma que ejercía.

> Los derechos de los herejes no se mendigan, se instauran en microzonas de la sociedad, mediante la resistencia. Porque los herejes están infinitamente más inermes que los congresistas de las repúblicas. No tienen otra alternativa que resistir, desobedecer, ser tenaces e irreductibles.

En sus proclamas, se advertía su adhesión a la ideología de Camilo Torres. No ocultaba su simpatía por la teología de la liberación, la nueva cristiandad y las causas populares. Sus seguidores lo admiraban por su irreverencia ante los discursos monolíticos. Sin embargo, su mensaje era pacifista por encima de todo. En ese sentido, su modelo y guía era Ghandi, el líder que logró cambios profundos para su pueblo por el método de la no violencia. Como un anticipo de su propia suerte, declaraba:

En este proyecto, comparten la suerte de los pacifistas de alma grande o de los profetas. Los ortodoxos gozan del uso legitimado de la violencia para perseguir a los herejes.

Como obispo, Mario buscaba transformar ese sentido de poder que acompaña una vocación de servicio, convicción y alegría. Compaginaba también con la aventura de los disoñadores. Este grupo de artistas, poetas, intelectuales y ambientalistas abogaba por la inclusión de las diversas vertientes de pensamiento. Se integraban a la voz de los indígenas, de los afros y de sectores marginales.

Ese viernes, tras culminar el acto de fe consignado en el *Derecho a la herejía*, Mario concluyó con estas palabras proféticas:

Los herejes dejan siempre mala fama, colillas y chismes por donde han acampado. Dejan tras ellos hogueras sin llama pero con lumbre. Más tarde, pueden aparecer otros trashumantes a soplar con viento nuevo para que resurja la llama con la cual forjan sus armas de combate por los derechos a la herejía.

Mario soñó con un mundo ideal que partiera de un núcleo no contaminado. Una especie de Isla de la utopía de Tomás Moro o Solentiname de Ernesto Cardenal. La idea surgió de un cuento emblemático, *La isla de la Tortuga*. En esta isla se concentraban sus más profundas aspiraciones: un territorio natural rico en agua y en biodiversidad, en donde todo el mundo viviera en armonía, sin falsos líderes ni autoritarismos y sin exclusiones de ningún tipo. Creía en la fusión del hombre con la naturaleza, como lo han proclamado los pueblos nativos de América desde antes de la colonización. De ahí su amor profundo por las culturas originales y su admiración por el saber ancestral.

Los disoñadores, utopistas y seguidores del Obispo de Oriente fueron ese núcleo de amigos que soñaban con un futuro armónico con la vida, la naturaleza y la creación. Su profesión de fe se condensaba en una frase: *deje afuera los odios*. La vida no le dio tiempo de culminar el proyecto cultural que él creó.

El bautismo

Mario profesaba una pasión por los ritos. Parte de su manifiesto en contra de la ortodoxia consistió en crear nuevas formas de celebrar rituales. El excura los entendía no como un acto religioso, sino como una convocatoria frente a los simbolismos que unen al hombre con el medio que lo rodea.

Juan Gaviria recuerda el bautizo de su hijo por medio del ritual de la Diócesis de Oriente en su casa de campo situada en Cajicá. Fue una ceremonia muy especial porque los miembros de la Diócesis se habían reunido en este sitio rodeados de la naturaleza y el campo para celebrar el rito de iniciación que le daba legitimidad al grupo.

—¿Tenés una Biblia por ahí? —le preguntó Mario mientras rebuscaba en los estantes.

—Yo no tengo ninguna Biblia —respondió Juan.

Mario siguió hurgando en la biblioteca, hasta que encontró un Corán, regalo de la Embajada de Irán.

—Esto me sirve por los semíticos —comentó.

Entre los títulos del estante encontró una colección de poemas nadaístas de Gonzalo Arango y *La creación* de Peter W. Atkins.

El Corán sirvió de libro sagrado; los poemas de Arango y el ensayo de Atkins fueron la liturgia. Mario asignó las lecturas a algunos de los asistentes. Paso seguido, se colgó una bufanda tejida con símbolos prehispánicos en forma de estola. Colocó el pan y una copa de vino sobre la mesa que hacía de altar en medio de velas, un recipiente con aceite y el copón de agua. Mario recitó la única frase que le era indispensable para iniciar el ritual: *Que todos los que estén aquí dejen a un lado sus rencillas, depongan sus diferencias y puedan compartir el pan*. Un casete de flautas andinas se escuchaba en el fondo. Los encargados de la liturgia leyeron los textos correspondientes con toda la solemnidad.

Juan leyó el fragmento de *La creación*:

En el principio está el comienzo.
En el comienzo no había nada. El vacío absoluto, y no simplemente un vacío desocupado. No había espacio, ni había tiempo, pues era antes del tiempo. El universo carecía de forma y estaba vacío…

En calidad de obispo, Mario condujo el ritual y explicó en detalle cada uno de los símbolos que daban sentido a la ceremonia: el agua, los libros, el aceite y las velas. En el fondo del improvisado altar, la estatua de Santa Zita supervisaba la ceremonia.

El celebrante pidió a cada uno de los asistentes que escogiera un nombre con un significado especial. Cada uno pronunció un nombre y el niño fue bautizado con todos ellos. Mario escogió Francisco, en referencia a Francisco de Asís. Sin embargo, al muchacho se le conoce como Juan Alejandro. Mario derramó sobre su frente un chorro del líquido divino, el agua, y pronunció las palabras que sellaban el rito sagrado: «Vengan todos. Concurrimos a generar la buena energía que representa el agua, fuente de vida».

El Obispo de Oriente culminó la ceremonia con la celebración de la luz, el agua y la tierra con los elementos espirituales. La concurrencia lo escuchaba embrujada por su verbo y la cadencia de su voz. Todos en silencio observaban la figura de su líder y caían bajo el influjo que ejercía a través de palabras pronunciadas con un tono melódico y sereno.

Mario se quitó la estola, se confundió entre los asistentes, y la reunión se convirtió en fiesta. Todos los amigos en convivio: cenando, riendo y cantando. El himno de Oriente amenizaba la celebración.

Ultimátum

Durante un viaje que Catalina y Elsa realizaron a Paipa a dar una conferencia, Elsa le confió el ultimátum que le había dado a Mario.

—Lo que pasa es que ya llevamos juntos más de un año. Como pareja nos entendemos en todos los sentidos, pero él no se decide a comprometerse.

—¿Y qué piensas hacer? Tú sabes que él nunca se compromete.

—Conmigo no funciona eso. Sabes que quiero tener un hijo y la relación así a medias no me conviene. Tampoco estoy dispuesta a esperar años a que él tome la decisión, mientras se me pasa el tiempo de ser madre. Ya tengo 32 años. No puedo esperar mucho.

—Es verdad, pero ya sabes cómo es él.

—Total, le di a Mario un ultimátum: o él se decide a comprometerse con todo o no me hago más expectativas con esta relación.

Camilo Borrero asegura que Mario no creía en el celibato: «Él de castidad nunca sufrió y las mujeres tampoco se lo dejaron sufrir. El celibato no aportaba nada. Lo que aportaba era la palabra, la entrega y la fe; el no mirar al norte, y no estar con los poderosos. Lo que sí era importante era su compromiso espiritual, y eso le causó un conflicto muy profundo consigo mismo. Él pudo haber hecho lo que hizo con otras mujeres, tener una relación sin compromiso, pero confluyeron varios factores: una decepción de su relación con la Iglesia y una crisis fuerte de valores». En esa época, mantuvo muchas conversaciones con Javier Giraldo. Su vínculo con él era a un nivel espiritual y de una profundidad que no encontraba con otros amigos cercanos. Todos le pedían que se saliera de cura; sin embargo, la decisión era un asunto mucho más complejo.

Mario se tomó su tiempo para tomar la decisión. Pidió una licencia y se retiró a meditar y a pensar. En esa época él vivía en La Candelaria y Elsa compartía apartamento con sus hermanas. Quizás fue la decisión más difícil de su vida. El compromiso sacerdotal implica mucho más que un sacramento. El voto de Mario no era un contrato legal con una institución. Este iba al fondo de sus certezas morales y convicciones espirituales. No era que él creyera en un dios castigador de una religión establecida con normas y ordenanzas ortodoxas. Todo lo contrario, él era el hereje que predicaba en su famoso manifiesto *Derecho a la herejía*. Su fe era ante las cosmovisiones que proclaman una energía superior y ante las leyes naturales de justicia y convivencia social. Por eso su lucha contra las instituciones y las ortodoxias. Su matrimonio había sido con esa causa divina y humana. Le tomó tiempo comprender que este compromiso no era excluyente con la ley de vivir en pareja en profunda comunión de cuerpo y espíritu.

Por otro lado, estaba el aspecto económico. Mario tendría que buscar el sustento sin el apoyo de la Casa Jesuita, algo a lo que no estaba acostumbrado, pues la institución le había proporcionado los medios de subsistencia desde los quince años. Aunque continuara trabajando en el Cinep, se dio cuenta de que el salario exiguo le demandaba conseguir otros trabajitos aquí y allá, como hacían todos los empleados del Centro. Además, se enfrentaban a un mundo lleno de prejuicios, en donde sus premisas conceptuales de nada valían al llevarlas a la práctica.

El proceso de abandonar el sacerdocio constituyó una ruptura dolorosa. Sufría un conflicto interior entre su vocación de servicio y la obediencia a una Iglesia dogmática y ortodoxa. Él no se sometió nunca a las normativas de la Iglesia y en un momento dado se dio cuenta de que no podía seguir viviendo en medio de esa contradicción: la elección de ser o no ser.

Mario se decidió por los dos. Se separó de la Iglesia como institución, aunque continuó con su vocación de servicio. El retiro de la compañía no había sido voluntario, aseguran algunos de sus compañeros. El provincial le había reprochado su estilo de vida y le aconsejó que se retirara. Al final le dijo que no lo admitía más y le pidió su dimisión. Entonces, Mario dijo que escribiría la carta de retiro del sacerdocio. Al parecer, nunca la escribió. El provincial fue el que realizó los trámites canónicos y le comunicó a la Curia General que el padre Calderón quedaba por fuera de la Provincia. También le envió una carta al Vaticano informando que el padre Calderón renunciaba al sacerdocio. Sin embargo, Mario nunca dejó de ser jesuita porque la Compañía de Jesús demoró el trámite y él nunca firmó las dimisorias, requisito para dejar la Orden. El Vaticano tampoco le otorgó la dispensa para la reducción al estado laical que había solicitado. Él fue sacerdote hasta el final.

Cambio de hábitos

Cuando Mario tomó la decisión de hacer vida de pareja con Elsa, la invitó a vivir a la casa de La Candelaria. Ella le dijo que ni de riesgos se iba para La Candelaria. Y no era para menos. Por más liberada que fuera, se negaba a vivir en el ambiente bohemio y excéntrico que caracterizaba a La Candelaria. Ambos se tranzaron por vivir en Chapinero. Fue así como rentaron el apartamento de la Quinta La Salle en la carrera 5.ª con 60. Elsa también lo convenció de comprar el *jeep* y poco a poco la pareja se acomodó a la vida de clase media chapineruna.

Las reacciones hacia su relación no se hicieron esperar. Un sector del Cinep se opuso de tajo cuando ella quedó embarazada. Algunos compañeros jesuitas se molestaron no tanto con la relación, sino con su visibilidad. Era evidente que Mario había hecho su elección por su relación con Elsa como compromiso de vida.

De otro lado, los amigos y compañeros los recibieron con beneplácito. Reconocieron en su alianza un magnetismo que atraía y consolidaba proyectos de vida unidos por la lucha ambiental y por las causas sociales que ambos defendían. La familia Alvarado acogió al excura, al principio con recelo, y más adelante con brazos abiertos. Mario había conquistado no solo a Elsa, sino a la familia. Don Carlos admiraba la inteligencia de Mario y le encantaba visitar a su hija para conversar con él. Hablaban de política, de literatura, de ciencia, de historia y de religión. Pese a que ambos profesaban convicciones ideológicas opuestas, se entendían de maravilla. Doña Elvira se limitó a decir: «Ellos se quieren y él hace feliz a la niña. Eso es lo más importante». El resto de la familia no se dio por enterada de los pormenores de la relación.

Desde que iniciaron su historia, Mario y Elsa se complementaron en todo. Los quince años de diferencia no se notaban. Elsa le cambió los hábitos de vestir, aunque él nunca se despojó de sus verdaderos hábitos de sacerdote. Ella no intentó cambiarlo, pero le enseñó a combinar mejor la ropa y él se dejó llevar con un vago, *sí, querida*, a sus exigencias.

Lucha cuenta que un día se encontró a Mario en un mercado de las pulgas. Él le pidió que lo acompañara a hacer una vuelta a Chía. «Me prestó una chaqueta porque estaba lloviendo. Al regreso, seguía lloviendo y me devolví con la chaqueta». Días más tarde, fue al apartamento y se la devolvió a Elsa.

—Aquí tienes la chaqueta Buenaventura.

Elsa se quedó mirando la prenda y le sugirió:

—¿Por qué no aprovechas y la botas?

—¿Cómo así? No, no, no puedo botarla —replicó.

Ambas se atacaron de la risa y Elsa resolvió aceptar la devolución.

Los amigos dicen que nunca se les vio pelear. «Marchaban al mismo compás sin perder su propio ritmo». Coincidían casi en todo. Elsa acogió la tropa de bohemios que llegaban a su apartamento de Chapinero o a Sumapaz. Siempre con una sonrisa amplia, vivaz y energética. Nunca le discutió a Mario la frase que él usaba como bandera: «Mis amigos son algo que ni el matrimonio podrá separar». Elsa era excelente cocinera. Había tomado cursos de cocina francesa y preparaba guisos sofisticados que le encantaban a Mario. Los amigos recuerdan la hospitalidad de la pareja Calderón Alvarado: pastas variadas, vinos a granel, tabla de quesos, en medio de conversaciones estimulantes ambientadas por fluidos etílicos y debates álgidos.

A nadie sorprendió la decisión de construir una casa en Sumapaz. Elsa se unió al proyecto y se compenetró con su propósito común. Trabajaron mano a mano en los talleres de capacitación de campesinos y gente del lugar, enlazando conocimientos, aprendiendo de ellos, embelesados con los frailejones y los paisajes sin fin. Juntos construyeron la cabaña con sus propias manos en medio del bosque que tanto amaron.

Adiós, río

Do Wabura Dai Bia Ozhirada
Adiós, río, el que hacía todos nuestros beneficios.
—Plegaria Emberá-Katío

Pese a que Mario le dio un nuevo rumbo a su vida, la sombra de Tierralta nunca dejó de perseguirlo. La experiencia lo afectó profundamente y le dolía la impotencia ante el crimen de su compañero y la pasmosa impunidad con que este había sido archivado en los anaqueles policiales. Lo único que podía hacer era denunciar los hechos atroces, que cada vez se incrementaban más en Córdoba. Comenzó a escribir para la revista *Intercambio* usando el seudónimo de Pedro Crespo. En sus escritos, daba a conocer las tácticas utilizadas por los paramilitares en lo que llamó *la ley del silencio* instituida en Córdoba:

> Las matanzas son de todos conocidas. Las investigaciones no han pasado de autodetención inejecutable. La ley del silencio es cons-

titucional allí. Ante los hechos cumplidos, la población civil campesina ha debido emigrar en dos direcciones: monte adentro, para empezar otra vez a colonizar o a engrosar tugurios en las ciudades.

En el artículo se refiere a los intentos que hizo de implementar procesos organizativos autónomos en la región de los ríos Sinú y San Jorge, y la imposibilidad de llevarlos a cabo:

> El nivel de la guerra sucia había subido tanto que, poco a poco, nuestros planes de acción se iban reduciendo a propósitos postergados. Mataron a gente amiga, de manera selectiva o en masa. (…) A mediados de 1989, vimos que era imposible continuar. El proyecto se detuvo sin concluir la fase inicial. Los muertos y los amenazados por la guerra sucia éramos tantos, que tuvimos que dispersarnos. Huir, mirar lejos. Pensar en otra manera de participar. En eso andamos.

Mario siguió denunciando los efectos nocivos que las represas Urrá I y Urrá II traerían a la zona. En varios escritos, alerta sobre el impacto letal a la biodiversidad y a la disminución de la explotación agrícola y piscícola de la región. Se refiere, en particular, al impacto sobre los campesinos y, en especial, sobre los indígenas emberá-katío, los pobladores de las riberas del río, quienes fueron desalojados de sus territorios para la construcción de los proyectos hidroeléctricos. En el mismo artículo, Mario denuncia el desalojo indiscriminado:

> La simbólica redistribución de tierras, presionada por los campesinos, tropieza en este momento con un obstáculo novedoso: la llegada del capital coquero en busca de tierras para inversión. No sólo se ha producido una tendencia a la reconstrucción de la propiedad, también se ha interrumpido un proceso educativo, que los conflictos del pasado habían logrado inculcar de contera a los terratenientes. Ya no se negocia nada. Los nuevos propietarios usan la disuasión y el exterminio por parte de los paramilitares para sepultar cualquier intento de autonomía cívica o popular.

En noviembre de 1994, ante la indiferencia de las autoridades por responder a sus demandas, los indígenas despojados de sus tierras realizaron una manifestación pacífica navegando en balsas por el río desde Tierralta hasta la población de Lorica en un ritual que denominaron *despedida del río*, bajo el lema «Do Waburá Dai Bia Ozhirada» (Adiós, río, el que hacía todos nuestros beneficios). Luego, emprendieron una marcha hasta Bogotá en la que cerca de setecientos indígenas reclamaban derechos y garantías para su territorio y supervivencia. Al llegar a la capital, tras diez días de recorrido, realizaron nuevamente el ritual de «Adiós, río» y de reclamo al Gobierno sobre sus derechos naturales.

Mario recibió a los marchantes y respaldó la iniciativa a través de múltiples foros destinados a analizar el impacto del proyecto hidroeléctrico y a llamar la atención de las autoridades. En esa época, se realizaron varios debates en conjunto con la Organización Nacional Indígena en la sede del Cinep. Como resultado, el consorcio de Urrá financió un equipo de apoyo para el análisis de impactos, propuestas de mitigación y la formulación de un proyecto de etnodesarrollo.

Sin embargo, estos acuerdos no duraron mucho. En febrero de 1997, las discusiones sobre el impacto negativo del proyecto hidroeléctrico de Urrá se reavivaron. Un grupo de campesinos y representantes indígenas de Córdoba llegaron al Centro y le pidieron ayuda a Mario. Él los apoyó y convocó varios debates para promover la participación de organizaciones ambientalistas y la búsqueda de soluciones al desalojo de los indígenas. En esta ocasión, el reclamo se refería a la realidad violenta y de muerte que azotaba a sus pueblos por parte de las fuerzas paramilitares en cabeza de los Castaño.

El 16 de abril de 1997 se realizó el último de estos foros, pero Mario ya no participó. Prefirió no hacerse visible y delegar la presentación al asesor de la Organización Nacional Indígena, Héctor Mondragón. Su presencia tras bambalinas despertó sospechas. ¿Por qué Calderón no se hacía partícipe como solía hacerlo? Surgían rumores inconexos de amenazas contra el Cinep; desafíos solapados hacia los investigadores que denunciaban violaciones de derechos humanos. El ambiente era tenso. Fue cuando empezó a contemplar otras opciones de trabajos y surgió la posibilidad de aceptar una posición en Cali.

9. SÁBADO

Maternidad

EL SÁBADO ELSA AMANECIÓ muy congestionada, pero decidió no prestarle atención al resfriado. Tenía muchas cosas que hacer antes del viaje a Urabá y sus padres llegaban esa misma tarde. Se desayunó con un té cargado y una tostada; se tomó dos dólex para la gripa y vistió al niño para salir. La lista era larga: ir al supermercado Carulla para comprar las provisiones de la semana; comprar el regalo de cumpleaños de su mamá; pasar por la lavandería, y luego dejar el niño con Elvira María. La acometió un acceso de tos mientras trataba de enfundar a Iván en una chaqueta impermeable. Hacía un clima horrible. No había parado de llover en toda la semana y temía que el próximo en caer resfriado sería el chiquito. Iván se resistía y en un momento dijo claramente: *no quiero*. Elsa se sorprendió porque pronunció las palabras categóricas, no en media lengua. El niño aprendía con facilidad y esto la llenaba de orgullo. A los 18 meses poseía un nivel de lenguaje avanzado con un léxico fluido y claro. Ella lo abrazó a pesar del temor de contagiarlo y recordó el camino recorrido en su experiencia de maternidad.

Siempre quiso ser madre, mas no había sido fácil. Con su primer marido supo desde el principio que esta no era una opción viable. Cuando conoció a Mario, presintió que él sería un excelente papá. La paternidad era parte del compromiso que él asumió cuando tomó la decisión. Sabía que tendrían que encontrar un balance entre el trabajo y la vida de pareja. Cuando estuvieron de acuerdo en que era el momento, a ella se le presentó una oportunidad de estudio en Canadá. No podía rehusar la beca. Tampoco quería aplazar la maternidad. Al final, se decidió por las dos.

Elsa se preparó con un celo inmenso para la experiencia de ser madre. Se dedicó a cuidar su cuerpo con una dieta balanceada, complementada con ejercicio y el contacto con la naturaleza, que le deparaba su trabajo ecológico en Sumapaz.

Recordó el día que lo supo. Lo presentía, pero no fue hasta que la prueba de embarazo salió positiva que compartió la noticia con Mario. ¡La alegría de ese hombre cuando supo que iba a ser papá! Luego les contó la noticia a sus padres y a Elvira María. Su hermana siempre se sintió parte de este embarazo. Desde el principio, asumió una especie de maternidad compartida. Ella los acompañó al primer examen médico. La ecografía reveló la existencia de un embrión en forma de fresa. Desde ese momento, lo llamaron *fresita* para referirse al bebé. Elvira María se encargó del cuidado de su hermana menor con la dedicación que le proporcionaba deleitarse en su maternidad como si fuera la suya propia.

El viaje a Canadá durante los primeros meses de embarazo no resultó tan difícil como esperaba. Su determinación le permitió adaptarse a los requerimientos de estudio y trabajo y mantener el balance emocional y mental de su estado. Dos meses más tarde, regresó a Bogotá. Mario se volvió loco cuando la recibió en el aeropuerto y ella exhibía con orgullo su barriga incipiente.

El embarazo fue una etapa deliciosa de su vida. Ella disfrutó cada instante. Además, fue una época gloriosa en el Cinep. En palabras de su colega Tatiana, «como si la cigüeña hubiera cubierto de dones a las investigadoras del Centro». Varias mujeres profesionales adentradas en los treinta gozaban de la experiencia de ser madres. Todas tenían claro que la maternidad y el ejercicio profesional no eran excluyentes y con tal convicción asumían su estado de gestación sin desmedro de sus responsabilidades. Salían juntas a comprar mamelucos, teteros y pañales; tomaban cursos prenatales acompañadas de sus parejas y se preparaban para el amamantamiento. Se reunían en sus apartamentos para mirar videos de partos y de cuidados natales que luego debatían como si fueran seminarios de estudio. Los compañeros se encargaron de organizar *baby showers* y otros agasajos, que se convertían en un motivo de celebración. Todos estaban felices con el advenimiento del bebé de la pareja Calderón Alvarado.

El día del parto Elsa se dio cuenta que había roto la fuente, pero no sentía ningún dolor. Elsa llamó a Elvira María a las once de la mañana y le dijo:

—Elpocón, manché. Ella le respondió:

—No te muevas. Ya voy para allá.

Elvira María cuenta que dejó tirado su trabajo en la Universidad Tadeo Lozano y al ratico se apareció en el apartamento. Elsa no pensaba que había llegado el momento porque no sentía molestias. Además, la fecha estaba fijada para el 21, no para el 19 de octubre, y ella esperaba que su madre pudiera acompañarla. Le había dicho que llegaría el 20 y no tenía forma de avisarle porque sus padres no tenían teléfono en Saldaña. Decidió llamar al doctor Galindo y obtuvo cita para las tres.

Era el mediodía y Elsa seguía sin sentir molestias. Entonces, pidieron almuerzo y tomaron las cosas con calma. A las tres de la tarde, llegaron a la cita. Cuando el médico la inspeccionó, le dijo que ya tenía cinco centímetros de dilatación y que debía ingresar de inmediato a la clínica. No podía ser. Ella se sentía fresca como una lechuga. Además, cómo iba a tener su bebé sin la presencia de su mamá.

Elvira María la acompañó al supermercado de la calle 127 y con calma compraron algunas cosas que hacían falta. Luego se dirigieron a su apartamento a recoger la maleta. Intentaba todos los medios telepáticos para que su mamá la llamara. Sentía que ella debería estar en este momento a su lado.

Llamó a Mario para avisarle que era el momento. Le dijo:

—Vente para acá que ya nos toca devolvernos…

—Pero es que yo estoy cerca de la Clínica Palermo. ¿Por qué no vienen ustedes en un taxi y nos encontramos en la Clínica?

—No importa, tienes que venir por mí —le ordenó Elsa.

Mario se hizo el viaje para recogerlas y de inmediato se devolvieron hasta la Clínica Palermo.

Al llegar a la clínica hicieron los trámites respectivos de ingreso. Ella seguía tranquila. De pronto, sintió una presión. Elvira María se dio cuenta de que el vientre había descendido y le preguntó:

—¿Qué sentiste?

—Fue como una cosquillita —respondió Elsa, serena.

El médico les dijo que ya estaba completamente dilatada y la ingresaron a la sala de parto. Era hora de pujar. Fueron dos pujos agudos con un dolor seco. Apenas tuvo tiempo de contraer los músculos con fuerza al ritmo de la respiración que había aprendido en las sesiones prenatales. Mario estaba ahí, al lado de ella, la miraba con sus ojos negros, cálidos y dulces. El segundo pujo le dolió más, pero duró apenas unos segundos. Cerró los ojos, se sumió en un silencio interior profundo, y con todas sus fuerzas lanzó un grito ronco que emergió desde el fondo del instinto ancestral, y expulsó la criatura de sus entrañas. Cuando abrió los ojos entre la niebla del dolor, lo vio en las manos del médico. Era una masita púrpura sanguinolenta que intentaba aprehender su nuevo estado. Alcanzó a ver cuando el doctor le aspiraba las flemas y el bebé lanzó su primer gemido. Sus ojos se nublaron al escuchar su llanto, un sollozo franco casi heroico. Juntos habían triunfado en este pasaje de tránsito hacia la vida. Vio cuando el doctor Galindo le entregó las tijeras a Mario para que cortara el cordón. Él se sobresaltó, no lo esperaba. Con manos trémulas, tomó las tijeras y cortó la tira de piel que lo separaba de su núcleo original. Paso seguido, lo envolvieron en una manta y le pusieron a su bebé en sus brazos. Ella pudo apretar por vez primera a esta creatura contra su cuerpo. Fue apenas un instante. Mario lo tomó en sus brazos y lo llevó afuera victorioso.

Mario le entregó el bebé a Elvira María, que esperaba con emoción. Fue la primera persona que lo alzó después del papá. Elsa alcanzó a escuchar las expresiones de alegría de su hermana desde la sala de espera. *¡Mi muchacho! ¡Divino, mi muchacho!* Supo desde ese momento que esta sería una maternidad compartida.

EL GRITO DEL NIÑO la retornó al presente. Por fin acabó de vestirlo. Lo abrazó contra su pecho y se sintió tan afortunada de tener ese hijo precioso, a un compañero como Mario y los retos profesionales que le vislumbraban un futuro promisorio. ¿Qué más podía pedir? Se hacía tarde. Elsa acomodó la pañalera y pidió un taxi por teléfono. Era un día gris. Las nubes cubrían por entero la cúspide del cerro de Monserrate, que se divisaba desde la ventana.

Intimidaciones

El sábado Mario se quedó en casa y aprovechó para hacer llamadas telefónicas. Llamó a Guillermo, el guardabosques de Sumapaz. La noticia que él le transmitió le confirmó sus sospechas.

No solo había gente preguntando por ellos, sino por él en especial. Esa semana se había presentado un comando militar armado en la localidad de Cabrera. Le habían pedido información específica sobre el cura Mario Calderón al alcalde del municipio.

Al colgar el teléfono Mario intentó ordenar sus pensamientos con serenidad. Lo primero era poner a Elsa y al niño a salvo. No podrían volver a Sumapaz, pero tampoco continuar en el mismo domicilio. Temía que quienes preguntaban por él fueran los mismos que lo habían amenazado en Tierralta, y ahora descubrieran su paradero en Sumapaz. Sus convicciones se movían entre dos aguas. Las amenazas venían de uno y otro lado: tanto de la guerrilla como de los paramilitares.

Recordó que en septiembre de 1991 la guerrilla contactó a los miembros de la Reserva. Solicitaban una reunión. Ellos estaban enterados sobre todas las acciones que adelantaban. En ese momento pudieron llegar a un acuerdo: ellos los dejarían en paz siempre y cuando no se inmiscuyeran en sus asuntos.

En noviembre de ese mismo año un comandante guerrillero irrumpió en la cabaña de la Reserva cuando se encontraban en medio de una reunión. Esta vez les exigían que se definieran políticamente.

—Aquí no hay términos medios —les ordenó perentorio—. O están con nosotros o no están.

Ellos le replicaron:

—Usted, que entra gritando en nuestra casa, ¿cree que esto es un asunto de poder? Su miopía militarista no les deja ver que estamos hablando de un problema de futuro, de vida, de conservación del agua, sin la cual ni nuestros hijos ni los suyos, ni los de nadie, podrán sobrevivir.

—Pues van a tener que trabajar en medio de la guerra —fue la respuesta escueta del comandante.

Los miembros de la Reserva se vieron obligados a abandonar la zona. Fue una época de confrontaciones violentas entre la guerrilla y el Ejército.

Cuando la situación se calmó un poco, regresaron. Estaban dispuestos a concientizar a los campesinos sobre la necesidad de conservar las zonas de páramo, semipáramo y bosque de niebla, así como el nacimiento de afluentes que surgen en la confluencia de zona montañosa. Parte de las iniciativas fue adquirir terrenos para salvarlos de la depredación y de la tala indiscriminada de árboles. En esa época, se consolidaron como Asociación Reserva Natural Suma-Paz. La organización adquirió autoridad y respetabilidad en la región: se realizaron talleres, conferencias, seminarios, en los que dieron a conocer su visión ambientalista y la agenda de defensa ecológica.

Los de la guerrilla los dejaron en paz, pero ahora los paramilitares los tenían en la mira. Mario se oponía a los proyectos hidroeléctricos que empezaban a planearse en Sumapaz y a la extracción de madera descontrolada en la región. Las corporaciones lo consideraban un tipo fastidioso por sus escritos y denuncias. A esto se sumaba su labor en el Instituto de Cultura y Turismo.

En ese tiempo conoció al alcalde menor de Sumapaz, Jaime Garzón. El reconocido periodista y humorista de la televisión también se ocupaba de la cultura y de la defensa ecológica. Ambos estaban de acuerdo en evitar la depredación de los ecosistemas por parte de las corporaciones desbordadas de ambición económica a costa del daño ambiental y social. Jaime y Mario se habían opuesto a la compra de terrenos para construir embalses y a la extracción de recursos madereros. Con Jaime se entendieron en su vocación por la lucha social, por la defensa del ambiente, y en especial en su visión sarcástica de la vida.

Un día Mario se encontró con Jaime Garzón en el supermercado Carulla de la calle 63 con séptima. Mario llevaba a Iván cargado sobre los hombros. Jaime salía del almacén con su carrito de víveres. Se miraron con reconocimiento y de inmediato surgieron las pullas que se lanzaban uno al otro. Al final, Jaime se despidió con estas palabras:

—Hey, Mario, usted no ha hecho nada bien en su vida, lo único que le quedó bien hecho fue ese chino. —Y soltó la carcajada con su boca destentada que lo hizo famoso, mientras señalaba a Iván.

Mario se convirtió en un sujeto incómodo y en un subversivo, por su defensa de la tierra, del agua y del aire. Jaime Garzón también.

10. PACTO SAGRADO

Pasaron lunas. A medida que Suan crecía, la iba rodeando con las
ramas, hasta que formaron un solo tronco. De cerca o de lejos, se
veían como dos árboles en uno. Ella le hablaba de sus sueños... Él le
hablaba de sus intentos de cazador, aunque sólo fuera de mariposas.
Una noche desapacible ambos soñaron. Ella quería dejar de ser
palma de hacer techos frescos, para convertirse en palma de coco
que produjera su propia agua. Él soñó que caminaban por un
sendero vigilado por retenes de guadua, que les impedían avanzar.
Sin despertar del sueño, los dos se separaron...
—MARIO CALDERÓN

MARIO Y ELSA NUNCA CELEBRARON una ceremonia de matrimonio. No obstante, su unión dio testimonio de un pacto sagrado de amor. Su relación se cimentó en la gran fiesta de celebración de los cincuenta años de Mario. Esta fiesta constituyó el ritual de reconocimiento a la unión de Mario y Elsa.

Elsa hizo gala de toda su creatividad para festejar por lo grande. Diseñó unas invitaciones con una leyenda inspiradora:

INVITO AL FESTEJO DE LOS 50 AÑOS
DE NUESTRO OBISPO DE ORIENTE.
LOS ESPERAMOS EL DÍA 26 DEL MES DÉCIMO,
CUANDO LA LUNA SALGA POR EL ORIENTE.

Para la fiesta se consiguió un apartamento enorme donde funcionaban las oficinas de la Reserva de Suma-Paz en la calle 53 arriba de la séptima. La decoración fue impecable: bombas, confites, cintas y letreros alusivos a la amistad, al amor, y la filosofía de Oriente en las paredes. Los platillos fueron preparados con esmero y con el despliegue de los talentos culinarios de Elsa. Los amigos aportaron el vino y los licores esenciales. A la invitación respondieron todos los círculos de amistades y sectores con quienes trabajaban.

Fue una congregación que reunió lo más selecto de los grupos ecuménicos, intereclesiales, de la Red de reservas ambientales, de Sumapaz y sus alrededores. También asistieron los representantes de los sectores populares donde trabajaban: de los barrios, de las quebradas, de los bosques, de las universidades y de las oficinas gubernamentales donde colaboraban. Se hicieron presentes, además, los peripatéticos, los disoñadores y hasta los heresiarcas.

Como un domingo de Ramos, Mario entró triunfante y aplaudido por todos. Los amigos poetas le declamaron versos; los intelectuales le dedicaron exégesis ontológicas; los políticos lanzaron consignas; los religiosos proclamaron herejías. Todos celebraron las propuestas y las obras emprendidas por Mario y por Elsa, sus ideas y convicciones. Por sobre todo, honraron la amistad y la sencillez con que esta pareja había consolidado un mensaje de pacifismo y armonía con la naturaleza.

Camilo Borrero recuerda que fue una fiesta muy especial. Estaban los amigos más cercanos y hubo un ambiente de mucha convivencia. Fue un acto público donde ellos se presentaron como pareja y realizaron una especie de ritual de su unión. Camilo Borrero les regaló una casa en una especie de maqueta. El simbolismo era la casa que ellos estaban construyendo en Sumapaz y que esperaban fuera la casa de todos.

Tatiana resalta la magnificencia que desplegó Elsa en todos los detalles de la fiesta: «Nos sentíamos como parte de algo muy especial y celebramos con todo: música, baile, vino, risas y alegría por doquier».

Juanita recuerda que asistió a la fiesta acompañada por su compañero y padre de sus hijos. Todos felices de reconocerse y de celebrar los senderos recorridos.

A la medianoche, cuando la luna plateada emergía desde el oriente, se trazaron los derroteros del futuro. Los disoñadores repitieron su lema sobre el derecho a ser, a pensar y a disoñar un universo en armonía con las plantas, el agua y la naturaleza. Especialmente, el derecho a una utopía posible, lema que haría eco seis meses más tarde, cuando el horror cimbró los cimientos de los peripatéticos y de los disoñadores.

11. DOMINGO

La neblina

EL DOMINGO A LA MADRUGADA Elsa soñó que se encontraba en un bosque de niebla. La neblina cubría el paraje solitario con una capa densa y silenciosa. Intentaba atisbar por entre las ranuras de esa masa gris oscura, sin poder divisar más allá de la insondable oscuridad. Debía cruzar por un sendero para alcanzar la cumbre, aunque la penumbra se lo impedía. El peso de la nube la envolvía como una manta que le atenazaba la garganta. Intentó gritar, pero la masa la aprisionaba y le penetraba los ojos, la nariz y la boca hasta el punto de sofocarla. Despertó temblando. El grito reprimido dio paso a una tos seca y adolorida. El ardor de la fiebre le recorría el cuerpo y la garganta era una llama ardiente. Mario se despertó y le preguntó qué pasaba. Entre tos y tos, respondió:

—La niebla.... el bosque de niebla. No podemos volver. No podemos. Es un aviso.

Mario le pasó un vaso de agua y la atrajo hacia sí para calmarla. Ella tosía mientras intentaba tragar un dólex. Él la reconfortó:

—Recuerda que la niebla es agua y el agua es buena. Nada malo puede venir del agua.

Elsa se durmió nuevamente en los brazos de Mario. El dólex le debió hacer efecto porque pasó cerca de una hora antes de que se despertara por el llamado del niño. La fiebre había cedido y respiraba sin dificultad. Mario acudió a atender al niño y dio señas de que él se ocuparía del desayuno. No obstante, el sueño no pasó inadvertido para Mario. Él creía en los signos, en las cartas y en los oráculos chinos. Vino a su mente la lectura del tarot: *espadas, solo espadas*, había dicho Marisol. No había podido alejar de su mente ese resultado tan inquietante.

Al mediodía tenían un almuerzo con la familia. Le celebrarían el cumpleaños a doña Elvira. Sus papás habían llegado el viernes y se estaban quedando en el apartamento de Elvira María. Elsa se levantó y llamó a su hermana. Le contó que se sentía enferma, pero que haría un esfuerzo para asistir al almuerzo.

Cuando colgó, sonó el teléfono de nuevo. Era el padre Gabriel Izquierdo. Mario respondió desde la sala y Elsa escuchó apartes de la conversación.

«¿Una emisora local, de dónde?... ¿Un comunicado?... Está bien...».

Elsa le preguntó de qué se trataba y Mario le explicó en frases cortas que Gabriel había escuchado en una emisora local una noticia donde calificaban de guerrilleros a los ambientalistas del Cinep que trabajaban en Sumapaz. Acordaron que el padre Izquierdo escribiría un comunicado desmintiendo el reporte y descalificando la emisora que había circulado esa calumnia.

Elsa recordó el sueño. Sintió que la niebla la sofocaba de nuevo y la acometió un acceso de tos. Mario lanzó una broma típica de él:

—Ni las fuerzas del mal ni las del bien podrán detener al Caballo Viejo, Obispo de Oriente.

Sin embargo, la llamada lo dejó intranquilo. Vino a su memoria el recuerdo de su amigo Sergio Restrepo. Mario siempre pensó que Sergio había muerto por un error. A quien buscaban era a él. Recordó cuando regresó a Tierralta un tiempo después del crimen en forma clandestina a recoger sus cosas. Fue tan difícil constatar que la obra que venían realizando había sucumbido y los campesinos que habían depositado su confianza en ellos tuvieron que salir huyendo del lugar. No se perdonaba haber abandonado a los indígenas y labriegos a la violencia descarnada de los paramilitares. Él había podido escapar, pero ellos no. Ahora él no estaba solo, tenía una familia y un hijo pequeño.

Estafetas

Gabriel Izquierdo estaba nervioso. Después de escuchar la información de la emisora en la que acusaba a los ambientalistas del Cinep de ser miembros de la guerrilla, quedó muy consternado. Sospechaba que se concertaba algo en contra del Cinep. No era la primera vez que se acusaba a los investigadores de este centro de ser integrantes de los grupos revolucionarios. Se les tildaba de subversivos, izquierdosos, comunistoides, todos estos motes destinados a crear incertidumbre y sospecha sobre sus actividades. No hacía mucho el periodista de la casa *El Tiempo*, Francisco Santos, los había calificado de ser *estafetas de la guerrilla*.

El Cinep tenía un equipo de más de cien personas que trabajaban por un país más igualitario. Ellos denunciaban las evidencias de la relación entre paramilitares y militares. Ante lo cual, el Gobierno mostraba una enorme indiferencia o quizá, complacencia. La postura ante las muertes de civiles inocentes era que si los mataban por algo sería. El Cinep se atrevía a elevar sus denuncias ante organismos internacionales como Amnistía Internacional y la Comisión Interamericana de Derechos Humanos. Esto causaba demasiada incomodidad al Ejército y a los gremios económicos. El comandante de las Fuerzas Militares había acusado a los miembros del Cinep de ser auxiliadores de la guerrilla. Se rumoraba que en una reunión de los famosos Notables habían sentenciado a los investigadores del Centro.

Era una época de descontentos. La guerrilla y las fuerzas paramilitares se habían fortalecido y tenían sometida a toda Colombia. No se enfrentaban entre ellos, sino que cada bando extendía su control sobre territorios amedrentando a las poblaciones en el medio. Las FARC arremetían contra los finqueros y ganaderos con extorsiones y amenazas de secuestro. Las autodefensas extendían su poderío en el norte, centro y oriente del país. La violencia de uno y otro lado era desmedida. El Gobierno y las fuerzas militares se veían incapaces de controlar los bandos en disputa. Los militares preferían utilizar los servicios de las autodefensas para combatir a la guerrilla. Los ganaderos y los empresarios los apoyaban. El Gobierno se hacía el de la vista gorda. Al principio fue conveniente el apoyo de las famosas Convivir. Las Convivir fueron adquiriendo fuerza, apoyo logístico y se unieron con los bloques de las autodefensas que controlaban Córdoba y el Magdalena Medio, los Castaño. Recibían entrenamiento de mercenarios israelíes y se apertrechaban con armamento de alto calibre de la misma fuente.

Con la excusa de acabar con los brotes comunistas y la subversión, las autodefensas empezaron a prestar servicios a empresarios, políticos y al propio Estado para ocuparse de asuntos desagradables para la clase dirigente y para eliminar a sujetos incómodos. Los líderes sociales y defensores de derechos humanos se convirtieron en el blanco. No era la primera vez que esto sucedía. A finales de la década de los ochenta, fueron asesinados varios defensores de la vida cuando se convirtieron en una molestia para el Estado. Lo mismo ocurrió con periodistas que denunciaban a los narcotraficantes y a los sectores políticos que apoyaban su negocio. La masacre de la Unión Patriótica era una herida que aún calaba en la conciencia colectiva.

El problema era que Mario tenía el antecedente de lo ocurrido en Tierralta donde fue amenazado y perseguido por las autodefensas de Córdoba. Gabriel Izquierdo era consciente de que Mario era un hombre sin leyes, un tanto anárquico y con ganas de ayudarle a todo el mundo. La creación de una reserva en la zona de Sumapaz con el propósito de proteger las fuentes de agua con un grupo de ecologistas había llamado la atención, y tenía en alerta a más de uno con intereses económicos y políticos en la zona.

Estos antecedentes pesaban sobre su espalda. Y, además, el excura era demasiado osado. No temía señalar al que fuera desde sus escritos o en los foros donde predicaba sobre el ambiente y la conservación. De paso, acusaba a los sectores empresariales y a las multinacionales que estaban detrás de proyectos hidroeléctricos. Tampoco se frenaba ante los políticos detrás de compañías constructoras que atentaban contra las últimas quebradas que corrían por entre las moles de cemento de la ciudad de Bogotá.

Por eso la noticia que Gabriel escuchó en la emisora y que luego trató de desmentir acerca de la supuesta vinculación de Mario Calderón con el ELN no lo sorprendió. Era parte de la campaña de descrédito contra el Cinep y lo dejó preocupado. Ese domingo después de mandar el comunicado a los medios, se propuso hablar seriamente con Mario. Haría una cita con él esta semana para pedirle que bajara el tono y que se hiciera menos visible. El enemigo acecha, le iba a decir, no es cuestión de broma. No, señor. No lo era.

El almuerzo

Al mediodía del domingo Mario y Elsa partieron con destino al restaurante Juanillo en el norte de Bogotá. Caía una leve llovizna y Elsa todavía se sentía indispuesta. No obstante, la emoción del encuentro con sus padres amainaba los síntomas.

En el restaurante los esperaba la familia Alvarado: Carlos, Elvira mamá y Elvira María con su esposo, Jorge. Los demás hermanos de Elsa se encontraban en el exterior. Mario pidió bandeja paisa y Elsa, un ajiaco. La alegría de ver a la familia le había disipado el malestar. Le reconfortaba ver a su mamá y a su papá, con el cariño natural de ellos, pendientes de Iván, riendo de las bromas de Mario, disfrutando la reunión familiar. Aunque Elvirita mamá cumpliría 64 años el martes, la celebración era ese día. Elsa les había pedido que le ayudaran con el cuidado del niño durante su viaje a Urabá. Ellos planeaban quedarse una semana en el apartamento.

—¿En qué andas trabajando ahora, mija? —le preguntó Carlos.

—En lo de las radios comunitarias, papá. La idea es llegar a la gente con un mensaje educativo a través de emisoras locales, que les permita crecer y desarrollar proyectos propios.

—¿Y tú sí crees que eso sea efectivo? La competencia con las emisoras comerciales es muy grande. La gente prefiere oír vallenatos.

—Eso es lo que estamos trabajando, papá —contestó Elsa, convencida—. Hay gente que quiere aprender. El objetivo es que ellos mismos diseñen y produzcan sus programas de radio, en los que discutan sus preocupaciones, y poco a poco ir creando espacios de aprendizaje. Es una forma de crear redes comunitarias y una agenda pública para la paz.

—¿Qué es eso de agendas públicas?

—Papá, lo que intentamos es llegar a la gente con políticas públicas que tengan impacto y que ofrezcan soluciones. Por ejemplo, el programa de Madres Comunitarias es una estrategia para educar a madres sobre los mejores métodos de enseñanza a niños en su primera infancia. La idea es que todos puedan acceder a formas de aprendizaje a través de cómics y videos con materiales pedagógicos simples, pero efectivos. Las agendas públicas intentan también lograr que la gente tenga acceso a la opinión pública y sea parte de esta. En este país, solo las personas de las élites tienen influencia en la opinión pública. Eso es lo que queremos cambiar con los foros de participación ciudadana.

—Todo suena muy interesante, sin embargo, cómo lograrlo si los niveles de analfabetismo son tan altos en este país. ¿Cómo hacer para que la gente adquiera hábitos de lectura y criterios propios, y no los impuestos por los que manejan los medios y el poder? —puntualizó don Carlos.

Elvirita Chacón le preguntó sobre su viaje a Urabá. Le dijo que estaban preocupados por esos viajes a zonas tan peligrosas. ¿Qué tenían que hacer por allá?

—Mamá, no hay razón para preocuparse —fue la respuesta de Elsa—. Yo ya conozco esa zona. ¿Recuerdas cuando fui al Chocó con el proyecto del audiovisual *Flying South*? Ese fue un proyecto hermoso que realizamos con el Grupo Colombia Vive de Boston y el Cinep. Y nos fue muy bien.

—Pero en ese momento las cosas no estaban tan mal como ahora —le recordó su madre—. Además, viajaron en grupo.

—La gente con la que trabajo son personas sencillas, amables. Ellos necesitan nuestra ayuda. No hay nada que temer, Mamá.

Elsa no le contó a sus padres que estaba negociando la posibilidad de un trabajo con la Reserva del Darién ni que esperaba que ese contrato se concretara en esta visita. Esto era algo que ella anhelaba pero que causaba preocupación innecesaria por estar situado en el Urabá.

La conversación se desvió cuando Iván se cansó de estar sentado. Quería salir a jugar. Mario lo sacó un rato, pero volvió a lloviznar y decidieron emprender el regreso. Se despidieron con un simple adiós. Las familias se dispersaron en sus respectivos carros por las vías de retorno a la ciudad: unos por la carrera séptima y otros por la autopista central.

De regreso, pararon en Carulla para comprar lo del desayuno. A la salida del almacén, se encontraron con Rosario, la compañera del Cinep que vivía a una cuadra de su casa. Rosario les presentó a su hermana Matilde, que estaba de visita.

Rosario recuerda que Elsa se veía muy afectada por la gripa y Mario todavía tenía los rezagos del resfriado que le impidieron asistir al trabajo esa semana. Le contaron que los papás de Elsa estaban de visita.

Rosario cuenta que al despedirse, Mario le dijo, «Adiós Rosario» y le dio un abrazo. Lo dijo con un tono especial que le quedó grabado para siempre.

A Rosario la acababan de nombrar jefe de Mario. Él había sido superior de ella en otra ocasión. Se conocían desde 1982 y habían compartido mucho como colegas. Rosario siempre escuchaba el consejo de Mario y valoraba su asesoría en todos los proyectos que realizaron juntos durante esos años.

Anochecer

A las siete de la noche, Elvira María apareció en el apartamento con sus papás. Ellos se acomodaron en el sofá cama de la sala. Cerca de las ocho, llegaron el hermano de Carlos, Ricardo y su esposa, Elisita. Los hermanos se querían entrañablemente y cuando se enteraron de que estaban en la ciudad, se hicieron presentes para saludarlos y para cantarle el *happy birthday* a Elvirita. Fue una visita corta, recuerda el doctor Alvarado. Dejó a Carlos conversando con Mario. Nunca se imaginó que sería la última vez que vería al *Pelao*, como lo llamaba en forma cariñosa.

Cuando los tíos se marcharon, Elsa le dijo a su mamá: «Necesito que me consientas, me siento muy mal». Doña Elvira no necesitó más estímulo para hacerse cargo. Le preparó un agua de panela caliente con limón, le aplicó Vick VapoRub en el cuello y le otorgó todos los cuidados maternales.

Después de degustar el agua de panela, Elsa se sintió con fuerzas para contarle un cuento al niño en el que Artura la Cangura era el personaje principal. Este era un muñeco muy particular, obsequio de su amiga Tatiana, con quien habían compartido muchas aventuras en el Cinep. Ambas habían diseñado proyectos de comunicación y educación comunitaria, pero lo que más las unía era haber compartido la experiencia de la maternidad. Tatiana se había marchado a París y hacía poco le había enviado a Artura la Cangura como un obsequio especial de parte de su hijo Alejandro, para Iván.

Cuando el niño se durmió, Elsa se arrunchó con sus papás. Sin importar el posible contagio, los colmó de besos y les dio las gracias por estar ahí siempre. A su papá lo llamó con todos los motes que ella acostumbraba, *mi Osito, mi Gordito lindo*. Ellos se dejaron consentir. Carlos le recordó cuánto disfrutaba venir a visitarlos y la compañía del nieto. Elvirita no necesitaba repetir lo feliz que era en su papel de abuela. Además, aprovecharía la semana para verse con viejas amistades con la excusa de la celebración de su onomástico. Elsa los abrazó a los dos y se dijeron las buenas noches. Afuera la lluvia caía tenue y silenciosa.

III
FUEGO

En los adoratorios, arden los fuegos. Resuenan los tambores. Uno tras otro, los prisioneros suben las gradas hacia la piedra redonda del sacrificio. El sacerdote les clava en el pecho el puñal de obsidiana, alza el corazón en el puño y lo muestra al sol que brota de los volcanes azules. ¿A qué dios se ofrece la sangre? El sol la exige, para nacer cada día y viajar de un horizonte al otro. Pero las ostentosas ceremonias de la muerte también sirven a otro dios, que no aparece en los códices ni en las canciones.

Caerán, entonces, las máscaras que ocultan los rostros de los jefes guerreros, el pico de águila, las fauces de tigre, los penachos de plumas que ondulan y brillan en el aire. Están manchadas de sangre las escalinatas del templo mayor y los cráneos se acumulan en el centro de la plaza. No solamente para que se mueva el sol, no: también para que ese dios secreto decida en lugar de los hombres...

Es el Dios del Miedo. El Dios del Miedo, que tiene dientes de rata y alas de buitre.

—EDUARDO GALEANO
Memoria del fuego

12. LA NOCHE SINIESTRA

A LAS DOS Y MEDIA de la madrugada del lunes 19 de mayo se escucharon ruidos extraños en el edificio Quinta La Salle de la carrera 5.a con calle 60. Alguien había pedido un taxi. En el momento en que el taxista se presentó ante el portero, apareció un hombre que los encañonó a los dos y los obligó a tirarse al piso. Desde un celular llamó a otras personas. En pocos minutos llegaron cuatro hombres vestidos de negro con siglas del CTI de la Fiscalía. Tres de ellos subieron por el ascensor al séptimo piso. Los otros dos se quedaron en la entrada custodiando. A los pocos minutos, se escuchó una balacera impresionante. No se oían gritos ni voces, solo disparos y disparos que irrumpieron en la mitad de la noche. Poco después todo quedó en silencio. Un silencio brutal, asesino, demencial. Nadie se atrevía a salir ni a mirar. Minutos más tarde los hombres bajaron y salieron apresurados. Lo único que se escuchó fue el sonido de los autos al arrancar y perderse en la oscuridad de la noche.

Cuando una de las vecinas se atrevió a asomarse al apartamento 702 encontró la puerta abierta y en medio de la sala los cadáveres de los tres: Mario contra una pared, Elsa al lado de la puerta de su habitación y don Carlos en el sofá donde estaba dormido. Doña Elvira, desfallecida, todavía tenía pulso. El niño estaba debajo de una mesa, ileso. Al rato, fueron apareciendo policía, familiares, amigos y curiosos. La vecina se llevó al niño para su apartamento y declaró que había una sobreviviente en estado crítico que requería atención inmediata.

Elvira Chacón cuenta que ellos sintieron un golpe en la puerta. Ella y Carlos se incorporaron y en medio de la oscuridad vieron unos bultos negros que irrumpían en la casa gritando ¡Fiscalía! Y luego oyó una tronazón como de *maíz toteado*. En medio de la oscuridad vio que los disparos parecían luces de bengala que cayeron sobre *su viejo*. Ella levantó el brazo para defenderse.

Sintió una quemazón en la mano y en ese momento perdió el conocimiento. Al rato despertó y en una imagen difusa vio cómo Mario enfrentaba a uno de los sicarios. Alcanzó a ver cómo lo remataron con una sucesión de disparos de singular sevicia, y luego, cuando desfalleció resbalando contra la pared. También vio que el niño pasaba al cuarto de Mario y Elsa. Luego, Elsa pasaba sola al cuarto del niño. Elvira trataba de reanimar a su marido, que ya no reaccionaba. En medio de la inconsciencia del dolor, sintió que Elsa los abrazaba como protegiéndolos. Cuando despertó de nuevo, se hallaba en el hospital conectada a miles de aparatos.

A ELVIRA MARÍA LA DESPERTARON a las dos de la mañana con una llamada telefónica. Le dijeron que había ocurrido un atentado. Cuando su esposo Jorge y ella llegaron a la Quinta La Salle no vieron nada. Pensaba que el atentado era al edificio del hotel que quedaba sobre la 60. Elvira se dirigió al portero. Él les dijo:

—Los mataron, señora. Su mamá está viva y se la llevaron al hospital Militar.

—¿Y el niño? —preguntó Elvira, aterrada.

—Está con una vecina —respondió Arnulfo.

Hay momentos en la vida que no se olvidan. Elvira María recuerda que sintió como un vacío, un sacudón. Su padre, Elsa y Mario. No podía ser. Sin embargo, su mamá y el niño estaban vivos. Se aseguró de que Iván estuviera bien con la vecina y no se atrevió a entrar al apartamento declarado zona de crimen. Jorge y ella se dirigieron al hospital de inmediato. Cuando vio a su madre conectada a toda clase de aparatos, ya estaba más de allá que de acá. Cuenta que, al recobrar la conciencia días más tarde, su mamá pensaba que todo había sido un sueño. Ella quedó muy mal herida y la mano completamente incapacitada. Nunca se ha recuperado del horror de esa noche.

El celular

Uno de los dos hombres que se había quedado a cargo de la custodia del edificio y que amordazó al portero, mientras los otros sicarios ejecutaban la acción, alcanzó a ver por la ventana de la portería una moto de la Policía. Sacó el celular del bolsillo de la chaqueta, marcó un número y dijo, sin esperar respuesta: «¡Oiga, huevón, apúrese que llegaron los tombos!». Colgó. Esto sucedió a las dos de la mañana justo antes de que se escucharan las ráfagas de disparos en el piso siete del edificio. Cuando los sicarios bajaron al primer piso después de ejecutar su plan, se encontraron con el compañero, aterrado porque decía haber visto una moto policial. Al parecer, el agente que la conducía solo estaba haciendo un recorrido de rutina por el sector. Sin embargo, en el forcejeo con el portero y en la angustia del momento, los sicarios salieron con premura y olvidaron el celular. Los cinco sicarios se marcharon en un Renault nueve de color blanco y un Sprint azul que los esperaban a la salida del edificio.

Al poco rato uno de los residentes del edificio llegó en un taxi. Se encontró con el espectáculo: el portero maniatado y los vecinos que empezaban a asomarse en estado de *shock* y perplejidad ante lo que acababa de ocurrir. Desató al portero y él le informó lo sucedido. El vecino subió al apartamento y encontró la puerta derribada, vio a los cuerpos tirados en el piso. La vecina le dijo que la señora aún tenía pulso. Sin pensarlo dos veces, la cargó en una sábana y se la llevó al Hospital Militar en el mismo taxi en el que había llegado.

Minutos después se hicieron presentes la Fiscalía, el DAS, la Policía, además de familiares y amigos que empezaron a llegar a medida que se enteraban de lo sucedido. En medio de su desazón, el portero relataba los hechos a los oficiales y a las personas que indagaban con incredulidad. Arnulfo les entregó a las autoridades de la Fiscalía el celular dejado por los sicarios. El celular se convertiría en ficha clave para rastrear las identidades de los asesinos. No obstante, contrario a lo que se esperaba, fue el caballito de batalla de los agentes de seguridad para desviar la investigación y para ocultar la identidad de los verdaderos victimarios.

Cuando me lo contaron

Cuando se conoció el asesinato de Mario, Elsa y Carlos, se produjo una reacción en cadena de conmoción y de incredulidad. Fue un acto tan atroz, tan desalmado e impúdico, que la reacción colectiva obró como un coletazo que desató un furor generalizado de repudio total.

Gabriel Izquierdo cuenta que ese día se levantó muy temprano para preparar la misa. A las 6:30 de la mañana lo llamó un mensajero del Cinep y le contó lo ocurrido. Fue un choque espantoso. «Siempre que pienso en eso se me desbarata el corazón. No puedo dejar de llorarlos». El sacerdote agrega: «Cuando pienso que lo único que estaban haciendo era el bien. Tan doloroso como absurdo».

El lunes a las siete de la mañana Catalina llamó a Elsa para planear el día y preparar lo que hacía falta para el viaje a Urabá.

Una señora desconocida le respondió:

—Habla con Medicina Legal. A los señores los acribillaron anoche.

Se quedó petrificada. No entendía nada y pensó que se había equivocado. Volvió a llamar. La misma señora le volvió a responder:

—Ya le dije que a ellos los acribillaron anoche. Tiene que llamar más tarde, cuando venga un familiar. Yo soy de Medicina Legal. Estoy haciendo el levantamiento de cadáveres.

—Juan, imagínate que me está pasando esto —le dijo a su esposo.

—Me contesta una señora y me dice que a Mario y Elsa los acribillaron.

Él la abrazó y le respondió:

—No te preocupes. Eso no puede ser cierto. Nos vamos ya para allá.

Antes de salir, Catalina llamó a Martín y a Marisol y les dio la noticia. Les pidió que llamaran a ver qué pasaba. Ellos llamaron y al poco rato les confirmaron lo que temían:

—A mí me dicen lo mismo. Vámonos para allá.

Catalina llamó a Claudia Ángel y le contó:

—Imagínate que los mataron, los mataron.

—¿A quién? —intentaba aclarar Claudia.

—A Mario y a Elsa. Vete ya para la casa de ellos.

A medida que se enteraban, los amigos pasaban de la zozobra a la incredulidad. Eso no podía estar pasando. Caían en la angustia y en la intimidación que genera el terror.

Claudia Ángel recuerda que el lunes llegó temprano a su oficina de Ecofondo porque tenían junta directiva. Cuando entró a la oficina repicaba el teléfono. Era Catalina gritando y llorando, «los mataron, los mataron. Mataron a todos, incluso a Iván». Se quedó pasmada. No entendía lo que escuchaba. Dejó todo tirado y salió corriendo para el apartamento de Mario y Elsa.

Marisol se encontraba en una finca en La Calera con su esposo, Martín, Gabriel Quiroga y con los hijos. Cuando Catalina los llamó, los invadió una angustia extrema. Marisol empezó a temblar. Martín se puso a llorar. Gabriel se afectó terriblemente. Ella se escondió a llorar y se aferró a su bebé de tres meses. Todos cayeron en un estado de paroxismo. Cuando pudieron reaccionar, se fueron directo al Cinep. Se encontraron con la prensa. Todos preguntando. Leopoldo Múnera, decano de la Universidad Nacional y abogado del grupo, tomó la vocería.

Gabriel Quiroga, insomne sin par, escuchó una noticia extraña a las dos de la mañana: «En Chapinero alto acaban de coger a un nido de guerrilleros». Esa noticia la desaparecieron.

Camilo Borrero se estaba bañando como a las seis de la mañana cuando sonó el teléfono. Una voz al otro lado de la línea le dijo: «Algo grave debió pasar con Mario y Elsa. Creo que se accidentaron viniendo de Sumapaz».

Comenzó a hacer llamadas, se comunicó con Rosario y con la recepcionista del Cinep. Nadie sabía nada. Trataron de llamar a todo el mundo. Cuando se enteraron de lo ocurrido ya eran como las siete de la mañana. La noticia los tomó por sorpresa. El desconsuelo fue total.

Lucha recuerda que a la medianoche la asaltó una angustia terrible. Se levantó con una sensación de malestar. No obstante, se dirigió a la universidad a dictar su clase de las siete de la mañana. Al terminar la clase, condujo hasta su oficina. Apenas llegó, le dijeron: «La ha llamado todo el mundo. Mataron a Mario y Elsa». Sintió que se caía el techo. «Como morir. Y me dio una ira tan espantosa. Llamé a todos los que conocía. ¡Hay que hacer algo!».

Lo que más la atormentaba era la sospecha de todo el mundo: «¿En qué estaban metidos…? Por algo sería». Siguió una época de una angustia atroz. Se encerró en la casa con una desazón inmensa. En ese momento, preparaban el proyecto Infancia y Mujer de comunicación participativa con Elsa. El proyecto quedó trunco.

A José Ricardo, primo de Elsa y médico de la familia, lo despertó su esposa, Patricia, el lunes a las seis de la mañana con la horrible noticia del asesinato del tío Carlos, Mario y Elsita, y le dijo que Elvirita estaba grave en el Hospital Militar. Él se encontraba en una conferencia en Denver, Colorado. De inmediato compró pasaje para viajar a Colombia. Del aeropuerto se dirigió al Hospital Militar a verificar el estado de su tía, diagnosticada con hemoneumotórax. Reconoció el gran trabajo que realizó el cirujano de tórax, el doctor Tulio Parra, quien la salvó de lo que parecía un caso fatal. Después se enteró de los pormenores del crimen y del horror que aún, tantos años después, no termina de asimilar.

El niño del clóset

No. Iván no estaba en el clóset. La vecina dice que lo encontró debajo de la mesa. Otros dicen que el niño estaba parado al lado del cuerpo de su padre, ileso y en estado inerme. Lo cierto fue que cuando fueron llegando las autoridades, la familia y los amigos cercanos, el niño no estaba por ninguna parte. Todos aterrados preguntaban por él. La vecina lo había llevado para su apartamento. Tampoco se sabe quién empezó el rumor de que lo habían encontrado en el clóset. Esa versión tomó fuerza y se convirtió en leyenda. La imagen de la madre escondiendo a su hijo en un clóset para ponerlo a salvo era impactante y mediática. Luego se supo que uno de los sicarios confesó que no tuvo el valor de matar al niño. Esto también está en entredicho, porque a él lo mataron poco después. La verdad es fluida y porosa. No obstante, una cosa es cierta. Iván, el adulto, quiere desmentir el rumor y que no se le conozca más como el niño del clóset.

Cuando Catalina y Juan Manuel llegaron al edificio, se encontraron con Claudia Ángel, que llegaba al mismo tiempo en un taxi. En ese momento estaban sacando los cuerpos. En estado de consternación vieron cómo cargaban a sus amigos del alma en las bolsas negras dentro del furgón de la funeraria.

—¿Dónde está el niño? —Catalina se dirigió al portero—: Iván, ¿dónde está?

—Arriba con una vecina —fue su respuesta.

Elvira María llegó en ese instante en un taxi después de constatar el estado de su madre en el Hospital Militar. La vecina la había llamado para avisarle: «Véngase pronto porque la Fiscalía se va a llevar al niño al Bienestar Familiar». Catalina y Elvira se abrazaron unidas en el dolor. Había tantos asuntos que atender. ¡El niño! Elvira le preguntó:

—¿Quieres subir?

—No, yo espero aquí.

Catalina no se sentía capaz de ver la escena del crimen. Elvira María bajó con el niño momentos después. Iván se veía pálido, casi blanco. Llevaba la misma pijamita roja de la última vez que lo había visto en Sumapaz. Cuando vio a Catalina, el niño le dijo:

—¡Papá, pum pum!

Claudia Ángel llegó en ese momento y quedó impresionada con las palabras del niño: *Papá, pum pum.* Así, Iván, al que presumían escondido en el clóset, se convertía en emblema y simbolismo de los huérfanos y víctimas inocentes de este país.

Consuelo Pabón vivía en Medellín con su esposo Édgar y su hija Casandra. Como a las ocho de la mañana, se disponía a llevar a la niña al colegio cuando su mamá, Jesusita, la llamó y le soltó la noticia: «Acaban de matar a Elsa y parece que mataron también a tu tío Carlos».

«Eran las personas que yo más amé en la infancia y en la adolescencia» —afirma Consuelo—. «Fue horrible. No sé cómo hice para llevar a mi hija al colegio. Después arreglé el viaje a

Bogotá para asistir al entierro. No te imaginas subirme al bus intermunicipal y lo que fue el trayecto de Medellín hasta Bogotá. Me vine esa noche, toda la noche llorando. Pusieron el noticiero en el televisor del bus. Ellos salían en las noticias. Llegué a la madrugada del martes y me fui directamente para la funeraria».

Juan Manuel recuerda que su compañero el Mono lo llamó a él pensando que ya sabía la noticia porque era el más cercano a Elsa. Le dijo:

—Juancho, ¿qué pasó con Elsa?

—¿Cómo así?

—A Elsa la acaban de matar.

Juancho entró en estado de *shock* y quedó pasmado. Lo único que se le ocurrió fue salir de inmediato para el apartamento de Mario y Elsa. Él vivía a cinco cuadras. «Me puse una gabardina encima del pijama. Me encontré a Elvira María. Estaba la Policía, el F2. No pude entrar a la escena del crimen. Todo el mundo estaba en el paroxismo de lo ocurrido».

Durante la velación y en el funeral, estaba muy compungido, y también ofuscado. Él era uno de los dolientes. La gente le daba el pésame. Le tomó un tiempo largo hasta que empezó a entender que él también era una víctima: «Si por algún lado soy víctima de esta guerra, es por el lado de Elsita. Ella es la muerta que me dejó esta guerra». Juan Manuel dice que duró un tiempo sumido en el silencio, totalmente bloqueado.

Claudia, amiga de universidad, se encontraba en su casa de Suiza cuando la llamaron sus padres. Le dijeron que en la radio habían escuchado la noticia de que habían matado a unos guerrilleros, y daban el nombre de Elsa. Se quedó estupefacta. En ese momento, recordó la conversación que tuvo con Elsa pocos días antes. Ella le había contado que estaban amenazados. Claudia se alteró mucho y le dijo: «Hay que denunciar, hay que hacer algo». Elsa se rio como con amargura, y le contestó: «Eso no sirve para nada. No te preocupes, no es para tanto». Pero cuando la llamaron esa mañana, ella se dio cuenta de que sí era para tanto. Lo único que atinó a responder fue: «Finalmente los mataron».

Pronunciamientos

Las acciones de las autoridades en las horas posteriores al crimen fueron improcedentes. Los asesinos huyeron sin reparos. Las declaraciones de parte de la Policía y la Fiscalía se contradecían. Luego surgieron hipótesis, conjuras, conspiraciones y complots. En el intento de encontrar culpables, hubo muchas pistas falsas deliberadas para confundir y demorar el proceso.

Gabriel Izquierdo expidió un comunicado por parte del Cinep en el que señalaba a los autores del crimen:

> El Cinep considera que esta nueva masacre, que enluta a la institución es parte del hostigamiento contra las organizaciones no gubernamentales y sociales que organismos de seguridad del Estado y grupos paramilitares han desatado en el país.

Al ser interrogado, Izquierdo agregó: «Fue un crimen muy extraño, pero es un corte paramilitar, en el sentido de que cinco personas que se identificaron como miembros de la Fiscalía, con uniformes negros y máscaras, tomaron al celador, rompieron las puertas y los asesinaron».

En respuesta, el comandante de la Policía Metropolitana de Bogotá, general Teodoro Campo, se limitó a declarar que se trataba de un crimen muy extraño, pues las personas asesinadas no tenían antecedentes delictivos o enemistades, pero que «atribuir su autoría a los paramilitares era una mera hipótesis». El oficial añadió que podía tratarse de una equivocación: «Creo que los asesinos intentaban acabar con otras personas, pues no quiero vincular su muerte con las actividades que desarrollaban en el Cinep».

Esta declaración suscitó una reacción inmediata desde numerosos frentes por parte de periodistas y activistas de derechos humanos.

Javier Darío Restrepo en su columna de *El Espectador* del 22 de mayo, opinó que con la muerte de Mario y Elsa se confirmaba la certidumbre de la Guerra Sucia que ubica a una parte de la población civil en el bando de la guerrilla, sin pruebas y a partir de acusaciones genéricas.

Restrepo se refería a una comunicación del comandante del Ejército, general Manuel José Bonnet, en la que afirmaba que el asunto de los derechos humanos le hacía mucho mal al país. En efecto, el 23 de febrero de 1997 *El Espectador* publicó una entrevista en la que el general puntualizó: «Esa historia de los derechos humanos nos ha hecho mucho daño. Sobre todo, por parte de los amigos y los apoyos obsecuentes de la guerrilla. Es el discurso de organizaciones como el Cinep que nos acusa de violadores de los derechos humanos».

¿Se trataba de un anuncio o de una advertencia? En todo caso, el señalamiento del Cinep por parte del general ponía sobre el tapete la molestia que las investigaciones del Centro sobre las violaciones a los derechos humanos ejercían sobre el estamento militar. Y esa declaración afloraba en este momento como una admonición que se había hecho efectiva.

Restrepo advertía el extremo peligro de las acusaciones genéricas del comandante del Ejército. Según él, dichas acusaciones podían llegar a poner a las personas en la mira de los asesinos: «Es decir, le han colgado una lápida al cuello». En la columna, advierte sobre la responsabilidad de las fuerzas armadas en estos asesinatos:

> La clasificación del general Bonnet muestra que hay informaciones que pueden ser mortales. 22 alcaldes muertos en estos dos años y las tumbas recién abiertas de Mario, Elsa y Carlos dejan planteada la posibilidad de que se está matando con informes, oficiales o no. Así ha sido el comienzo de las guerras sucias que son las reacciones de los bárbaros que se creen buenos para acabar con los malos.

La acusación del general Bonnet planteaba un interrogante muy inquietante. ¿Sería posible que los militares tuvieran en la mira al Cinep desde hacía rato por las denuncias de violaciones de derechos humanos por parte del estamento militar ante el Departamento de Estado de Washington y las cortes internacionales? El comunicado del Centro lo hacía explícito también. Ellos supieron desde el principio quiénes fueron los culpables, lo que permite intuir que algunos miembros del Cinep ya habían recibido amenazas o mensajes sospechosos.

13. LA CARAVANA

LA CARAVANA MULTITUDINARIA QUE recorrió las calles de Bogotá será recordada en los anales de la historia del país. Cientos de personas de todas las proveniencias se unieron a la marcha: amigos, familiares, campesinos de veredas de Sumapaz, habitantes de los barrios populares, universitarios del Externado, de la Nacional y de la Javeriana. Se unieron también los grupos ecuménicos y de diferentes sectas religiosas —mahometanos, judíos, agnósticos—, además de activistas, pacifistas, ambientalistas, utopistas, peripatéticos, periodistas y disoñadores. Los acompañaban sacerdotes, monjas, seglares, y hasta funcionarios públicos.

En la Funeraria Los Olivos, se velaron los cuerpos de los tres inmolados. Al mediodía, una impresionante marcha de más de tres mil personas partió desde la funeraria, en la calle 42 con carrera 14, hacia el sur por la carrera séptima; bajó por la calle 26 y se dirigió a la capilla de la casa de los jesuitas en el barrio La Soledad. Era una marcha sin féretros, llena de flores de colores, máscaras pintadas con lágrimas y banderas de Colombia manchadas de rojo. La gente portaba carteles inmensos que rezaban: *Sin olvido* y *Paz, Mario y Elsa a pesar de todo seguirán con nosotros, Porque eran seres de paz y vida*, los manifestantes gritaban arengas y cantaban al unísono *Solo le pido a Dios que la guerra no me sea indiferente, Si se calla el cantor calla la vida*. El cortejo estaba compuesto por numerosos grupos de Amnistía Internacional, organizaciones no gubernamentales, así como corporaciones ambientales, educativas y comunitarias. Representaban a todos los sectores en los que trabajaban Mario y Elsa. Los manifestantes recorrieron la ciudad al compás del clamor colectivo que repudiaba el horror y el sinsentido.

La caravana que taponó las grandes vías céntricas de la ciudad y ocasionó los habituales trastornos vehiculares no provocó la crítica de la ciudadanía. Por el contrario, la gente apoyaba a los

ElVIRA SÁNCHEZ-BLAKE

manifestantes desde sus autos haciendo sonar las bocinas, que se sumaban a los gritos de protesta. Como un coro griego, el lamento ciudadano recorría de norte a sur las calles de la urbe en un concierto de cantos, consignas, arengas y gemidos, al compás de bocinazos y sirenas que se fusionaban en una sinfonía disonante de dolor.

Cuando los manifestantes empezaron a llegar a la capilla de los jesuitas en la iglesia de Nuestra Señora de La Soledad, se percataron de que el recinto era demasiado pequeño para la masa humana que se hacía presente para honrar la vida de Mario, Elsa y Carlos.

Javier Giraldo tuvo a su cargo presidir la misa concelebrada con Gabriel Izquierdo, Francisco de Roux, y otros sacerdotes del Cinep. En la parte de atrás del altar, apiñados, y casi uno encima del otro, se hicieron presentes en representación de sus respectivas denominaciones: un obispo anglicano, un sacerdote ortodoxo ruso con su sombrero y barba característicos, un pastor luterano, un imán mahometano y un chamán amazónico. La idea de incluir a otras sectas religiosas fue de Juan Gaviria. Los jesuitas se habían negado, pero al final no lo pudieron impedir.

Javier Giraldo fue el primero en hablar al concluir el servicio funerario. Sus palabras se enfocaron en la vida y obra de Mario, su amigo y compañero, con quien compartió muchos espacios y facetas a lo largo de la vida:

> Mario ha concluido su peregrinación, excluido violentamente de nuestro entorno por las fuerzas de muerte que nos envuelven y dominan. Sus últimas huellas quedan, pues, ensangrentadas, y producen en nosotros el escalofrío de la sangre; el escalofrío de lo que fue truncado; de los proyectos deshechos; de las utopías destruidas; de lo que nunca debió suceder y que solo ocurrió por un cúmulo de absurdos y de sinrazones, que se ha convertido, desgraciadamente, en lo más cotidiano de nuestra cotidianidad. Entra, pues, querido Mario, definitivamente, en el reino del Padre liberador, de quien te enamoraste profundamente a través de un largo recorrido por las dolorosas experiencias históricas de la opresión.

Amigos y familiares le siguieron en la conmemoración de la vida de Carlos Alvarado Pantoja. Su hermano, el doctor Ricardo Alvarado, destacó la vida y obra del ingeniero, profesor universitario, padre de familia, hombre íntegro y servicial, amante del conocimiento y de la verdad, que siempre luchó en contra de las injusticias, las cuales atribuía en mayor parte a la subversión.

Gabriel Izquierdo, a su turno, se pronunció sobre la necesidad de recobrar la dignidad humana:

> Ni el miedo ni el olvido acabarán nuestros sueños de paz, debemos cantar a la esperanza como símbolo de reafirmación de la vida, sin desfallecer en la lucha por recobrar la dignidad humana.

Juan Alejandro Gaviria, un niño de diez años, actuó en representación de la Diócesis de Oriente. Él subió al altar y relató con orgullo su ceremonia de bautizo por parte de Mario Calderón:

> Soy Juan Alejandro, el primer bautizado por la Diócesis de Oriente, de la cual Mario era el Obispo. Mario me bautizó con el nombre de Francisco por Francisco de Asís, santo de la paz y la naturaleza. Señor, hazme un instrumento de tu paz.

El muchacho hizo una pausa para tratar de contener las lágrimas y enfocó su mirada en los tres ataúdes dispuestos en el centro de la iglesia. La congregación asimilaba sus palabras en un murmullo de llantos silenciosos. Tomó aliento y agregó con su voz destemplada infantil: «Iván se salvó porque Elsa lo escondió dentro de un clóset. Yo quisiera vivir toda mi vida dentro de un clóset para no ver esto».

Tal vez sus palabras contribuyeron a difundir la leyenda del clóset y obraba como alegoría propiciatoria para expresar la dimensión de la tragedia.

Juan Gaviria se había opuesto a que las exequias se celebraran en la Iglesia de los Jesuitas. El lunes por la noche hubo una reunión de emergencia en el Cinep para planear el funeral y él intentó convencer a Gabriel Izquierdo de realizar una ceremonia ecuménica inclusiva. Su argumento era que esta hubiera sido la preferencia de Mario y a Elsa. Cuando el padre Izquierdo se negó, Juan le replicó: «Dígale a su dios que le dé espacio a otros dioses». Pero Gabriel no lo escuchó.

También, les advirtió que necesitaban una iglesia grande como la de Lourdes o la de la Porciúncula, pero tampoco le hicieron caso. Al final, las exequias se celebraron en la capilla de los jesuitas, en donde, según Juan, no cabían ni los curas que concelebraron la misa. Asistieron más de ocho mil personas y todo el mundo en la calle. Eso no fue obstáculo para que la gente expresara su dolor y se preguntara por qué, por qué, por qué.

Los familiares de Mario apenas alcanzaron a llegar de Manizales, donde vivían. Al enterarse del hecho habían quedado totalmente confundidos. Sabían que su hermano había dejado su carrera sacerdotal, que se había casado, y tenía un hijo. Habían conocido a Elsa y a Iván en una visita que hicieron a Manizales, pero no estaban al tanto de todos los proyectos que conducían ni de las empresas altruistas que abanderaban. Nunca se imaginaron el fervor que este hombre despertaba entre amigos y seguidores y del vacío que dejaba su partida. Durante el sepelio conocieron por primera vez a los familiares de Elsa, con quienes se presentaban torpemente, pues la mayoría de los parientes Alvarado desconocían que Elsita había organizado su vida con un excura, excéntrico, anárquico, y con trazos de leyenda.

Los hermanos de Elsa que vivían en Venezuela, Carlos Enrique y Jairo, apenas alcanzaron a llegar, lo mismo que Nohora, que viajó desde Boston. Carlos Enrique recuerda el desconcierto y el horror de asistir al funeral de su padre y hermana, sin entender cómo ni por qué, al tiempo que su madre se debatía entre la vida y la muerte en el Hospital Militar. Era como una pesadilla. La reacción era de incredulidad y de dolor profundo.

Juan Gaviria comprobó que estaba en lo cierto cuando el recinto les quedó pequeño a la multitud de personas que acudieron a las honras fúnebres. Los sectores religiosos, ambientales, activistas, líderes sociales, los allegados al Cinep, a la familia, amigos, vecinos y colegas que se congregaron desbordaron la capilla y se arremolinaban en la acera y en la calle. Unas monjas se hicieron presentes en el entierro porque se enteraron de que había muerto un obispo. No entendían por qué este prelado tenía esposa e hijo. Cuando les explicaron que Mario era el Obispo de Oriente quedaron aún más confundidas. Sin embargo, en medio de toda esa reacción, mucha gente se preguntaba cuál era el motivo del asesinato, y, al no haber respuesta, surgía la sospecha de siempre: *quién sabe en qué estaban metidos. Por algo sería.*

Amenazas

Después de que Arnulfo, el portero del edificio, entregó el celular a las autoridades, que presumía eran miembros de la Fiscalía, empezó a recibir llamadas de personajes que decían ser de la Policía, con insultos: «¿Por qué entregó ese celular?». Luego lo citaban a una reunión en una cafetería de un barrio del sur de Bogotá a medianoche.

Arnulfo se amedrentó y contactó a una sobrina que trabajaba en la Conferencia de Religiosos de Colombia, una de cuyas comisiones —la Comisión Intercongregacional de Justicia y Paz— era coordinada por Javier Giraldo como secretario ejecutivo y representante legal.

La sobrina le contó lo que estaba pasando y el padre Giraldo contactó a Arnulfo de inmediato. Primero que todo, le dijo que por ningún motivo fuera asistir a las citas con esos tipos y decidió acudir a la Fiscalía personalmente. El padre Giraldo representaba a la institución de los derechos humanos en Colombia y su presencia imponía respeto. Cuenta que los funcionarios que lo recibieron eran gente decente y le dijeron: «Jamás vamos a poner una cita de esas, pero sí nos interesa hablar con él». Entonces, el padre acompañó a Arnulfo al interrogatorio sobre el caso. Pensó que esto permitiría aclarar el asunto y, por una vez, confió en las autoridades.

A los pocos días, el comandante de la Policía apareció por televisión diciendo que ya tenían información sobre los asesinos de los investigadores del Cinep. Declaró que habían encontrado un celular perteneciente a un narcotraficante de apellido Gaitán Mahecha. Se trataba de un personaje muy reconocido. El padre Giraldo supo en ese instante que no era más que un montaje para desviar la investigación.

La semana siguiente un artículo de la revista *Cromos* confirmó las declaraciones del comandante: «Un celular olvidado por los sicarios en el lugar del crimen reveló llamadas previas realizadas desde el aparato. Al parecer las llamadas fueron recibidas por un paramilitar que vivía en Chía. Según las autoridades, este sería uno de los autores de los asesinatos». Otro conocido narcotraficante, Guillermo Ortiz Gaitán, fue señalado y detenido en conexión con el asesinato.

Empezaron a circular diversas versiones sobre la identidad de los asesinos, basados en la interceptación del famoso celular, y a crear una red de conexiones y de falsas teorías sobre los motivos del asesinato. Entre los sindicados aparecían indiscriminadamente narcotraficantes, terroristas y guerrilleros. Sin embargo, en todo el proceso judicial nunca se investigó a los oficiales que los detuvieron en el retén a la salida de Cabrera una semana antes de su muerte.

Recontrainteligencia

El subdirector del Cinep, el padre Fernán González, estuvo a cargo de enfrentar a los periodistas y a la Policía en el momento en que se conoció el crimen. Pese a que Fernán no era el mejor amigo de Mario ni de Elsa, en ese instante se convirtió en defensor de su vida y obra. Ellos representaban al Cinep, dice Fernán. En ese sentido, así no estuviera de acuerdo con sus ideas, el ataque a la institución era lo que estaba en juego.

Cuando se enteró del crimen, se encontraba en una reunión de comité en el Cinep. Todo el mundo quedó muy impactado. Esa mañana tuvo que hacerse presente en el sitio, hablar con periodistas y con los noticieros y con todos los sectores que se acercaban para preguntar. La gente estaba totalmente enloquecida. Él asumió la tarea con mucha serenidad. Otorgó entrevistas y declaraciones a los medios y a las autoridades. Gabriel Izquierdo llegó al mediodía y lo reemplazó.

A Fernán también le correspondió contactar a los miembros del Gobierno en cabeza del presidente Ernesto Samper, quien encargó al comandante de la Policía, coronel Rosso José Serrano, de la seguridad del personal del Cinep. Serrano, a su vez, nombró al jefe de Inteligencia de la Policía, coronel Óscar Naranjo.

El coronel Naranjo opinó desde el principio que el caso respondía a las características de un operativo de inteligencia militar por la manera como se había planeado y ejecutado. Desde ese instante, Naranjo estuvo de acuerdo con las hipótesis del Cinep sobre los culpables del operativo.

El coronel Naranjo diseñó y se ocupó de la seguridad del Cinep. Dispuso a unos de sus oficiales a entrenar y a supervigilar la guardia privada. Fernán asegura que las relaciones con la Policía a cargo de Naranjo y con la Fiscalía fueron cordiales y ambos ofrecieron las teorías del caso, que al final sirvieron para conducir la investigación. El fiscal encargado de las pesquisas tuvo que salir del país por amenazas tiempo después.

El Gobierno del presidente Samper dio a conocer un comunicado en el que expresaba profundo pesar por la muerte de los ambientalistas. El comunicado lo firmaba el ministro del Interior, Horacio Serpa. Con el tono protocolario acostumbrado, y como una forma de limar las asperezas con las organizaciones de derechos humanos, declaraba:

> El presidente Samper y todo el Gobierno reconocen el importante papel que cumplen las organizaciones no gubernamentales a favor de la humanización del conflicto, la promoción y defensa de los derechos humanos y la construcción de la cultura de paz y la tolerancia y repudia la guerra sucia desatada contra ellas.

El mensaje implícito detrás de estas palabras era ratificar que el Estado no tenía cartas en el asunto entre las fuerzas que habían obrado en contra del Cinep. Servía quizá como un saneamiento de responsabilidades. De otra parte, Horacio Serpa se perfilaba como el próximo candidato presidencial y con este pronunciamiento se libraba de futuras atribuciones de culpa. Porque lo que estaba claro y todo el mundo ya sabía era que los culpables de este crimen habían sido las fuerzas paramilitares.

Lo que permeaba bajo el aparente mensaje oficial era que los grupos de autodefensas habían conformado una coordinadora contraguerrillera que intentaba atacar no a los guerrilleros, sino a quienes ellos consideraban que influían en el pensamiento subversivo de estos. La nueva agrupación anunció que trasladaría la guerra a las ciudades y contra los que esta considerara que les servían a los intereses de la guerrilla.

La comunicación también parecía responder a la carta dirigida al presidente Samper por las organizaciones no gubernamentales y sociales. La carta denunciaba a los autores del crimen:

> Esta nueva masacre se suma desafortunadamente a la larga lista de ejecuciones sumarias de defensores de derechos humanos, sacrificados en la total impunidad desde hace varios años. El Centro de Investigación y Educación Popular (Cinep) enlutado por este triple asesinato denuncia «el hostigamiento contra las organizaciones no gubernamentales que organismos de seguridad del Estado y grupos paramilitares han desatado en el país».

En la carta le pedían explícitamente al jefe de Estado una respuesta contundente: «Tiene usted en sus manos una enorme responsabilidad en la tarea de poner fin al poder límite que hasta ahora han ostentado estos administradores de muerte».

Una declaración de Amnistía Internacional con sede en Londres reforzaba el mensaje con la admonición: «El Gobierno colombiano no puede esconder la cabeza ante este último crimen». Human Rights Watch de las Américas también se pronunció desde Washington con un mensaje que conminaba a las autoridades a adoptar medidas contundentes y a castigar a los criminales con todo el peso de la ley.

Los comunicados y mensajes llegaban de todas partes. Todos expresaban repudio, rechazo, tristeza, dolor y rabia, mucha rabia. Pero, sobre todo, prevalecía el miedo, la certeza de que las famosas fuerzas oscuras habían penetrado en la intimidad de seres pacíficos de la ciudad sin antecedentes de ninguna clase ni afiliaciones políticas. Las palabras del general Bonnet sobre el *daño* que causaban los defensores de derechos humanos en Colombia pendían como una advertencia al filo del agua.

ANTONIO CABALLERO EN SU COLUMNA de la revista *Semana* del 25 de mayo se refirió a los pronunciamientos tibios del Gobierno, a las declaraciones cínicas del comandante de la Policía, y a la actitud cautelosa de la prensa ante el tamaño de este crimen.

> En un comunicado del ministro del Interior se limita en nombre del Gobierno, a «expresar su más enérgico rechazo y preocupación por la ola de violencia política por fuerzas al margen de la ley...». Y el comandante de la Policía de Bogotá, general Teodoro Campo, escoge el cinismo: el triple, casi cuádruple, casi quíntuple asesinato fue simplemente «una equivocación» y pensar que los asesinos fueran paramilitares es «una mera hipótesis».

Caballero acentuaba la palabra *cinismo* para implicar la participación de las autoridades en el crimen:

> El cinismo del general de la Policía es revelador. No sirve, claro está en plena prueba, pero en materia de masacres el cinismo suele ser casi una confesión de parte. La cobardía de los funcionarios civiles, reflejada en el comunicado del ministro, es cómplice: llevan muchos años asegurando que quien asesina en Colombia son «fuerzas oscuras», al margen de la ley.

El columnista escribió esta columna con rabia. Sus palabras serían proféticas y, sobre todo, atemporales. Porque lo que él afirma en estas líneas seguiría siendo muy actual veinte tantos años después:

> [La prensa] tendría que exigir responsabilidades a las autoridades civiles y militares por las innumerables y siempre impunes masacres cometidas por los paramilitares, *de las cuales esta es solo la más reciente, pero sin duda no la última...* Solo la prensa puede exigir a los generales cínicos, a los ministros cómplices y cobardes y a sus superiores. Porque en este país se mata con el consentimiento de las autoridades, y eso lo sabe toda la prensa.

Al final, Caballero se suscribe al comunicado del Cinep y repite sus palabras: «Esta nueva masacre es parte del hostigamiento contra las organizaciones no gubernamentales y sociales desatada por

los organismos de seguridad del Estado, por los grupos perfecta-
mente bien llamados paramilitares».

No se equivocaba Caballero cuando afirmaba que esta
masacre era solo la más reciente, pero sin duda no la última. En
realidad, fue la primera de una serie de asesinatos sucesivos con
patrones similares siguiendo un esquema de amedrentamiento,
persecución y ultimátum a periodistas, abogados, defensores del
ambiente y de causas sociales. Se iniciaba una era de terror pasivo
que surgía desde las oficinas de políticos y empresarios, quienes
señalaban las víctimas a las autoridades militares. Estos, a su vez,
entregaban las fichas a los jefes paramilitares. Desde sus refugios
de las montañas del Alto Sinú, los comandantes delegaban el tra-
bajito a las bandas de sicarios adiestrados como perros de presa
para matar sin compasión y sin hacer muchas preguntas. Como
corolario, desplegaban un sistema de inteligencia dirigida a desviar las investigaciones y a confundir las pesquisas con pistas falsas
con la anuencia de la Fiscalía, la Policía y las autoridades estatales.
Al final, se encargaban de exterminar a los sicarios para que no
quedaran piezas sueltas.

Manifestaciones en protesta por el asesinato de
los ambientalistas en Bogotá (recorte de *El Tiempo*)

14. LOS CULPABLES

Cuando se construye un buen discurso de propósito
aparentemente loable en una sociedad con carencias de
liderazgos legítimos, y este discurso cala entre la gente porque
siente que hay algo de verdad en él, se vuelve políticamente
posible desatar una violencia sin límites sobre la sociedad.
—María Teresa Ronderos

EL CRIMEN DE MARIO y Elsa (y don Carlos) se fraguó en la hacienda San Nicolás, en el municipio de Fredonia, Noroeste de Antioquia, en junio de 1996. En esta reunión se planeó la ejecución de doce defensores de derechos humanos, entre ellos, Jesús María Valle, Eduardo Umaña y «personalidades del Cinep». Aunque no se dijeron nombres, el consenso fue que «estas personas estaban estorbando mucho y entorpecían las labores de limpieza social». Según un anónimo que suministró información sobre esta reunión, estuvieron presentes Carlos Castaño, Nicolás Bergonsoli, dueño de la finca, y varios oficiales pertenecientes al B2, de Inteligencia Militar, con sede en Andes-Batallón Cacique Nutibara. También asistieron miembros de la Convivir Las Garzas, del municipio de Amagá, y algunos integrantes de los Notables.

La resolución aprobada por miembros de la Convivir y los altos mandos militares para la acción del Cinep debía realizarse en noviembre de 1996. Desde ese momento, se designaron los coordinadores del planeamiento y de la ejecución del plan. Los encargados del seguimiento serían los militares adscritos al B2 de Inteligencia Militar de las brigadas 13 y 20 en Bogotá. La acción criminal estaría a cargo de la banda La Terraza, al mando de *Don Berna* y el *Negro Elkin*. El coronel Jorge Eliécer Plazas Acevedo coordinaría la entrega de las armas y la logística. Como lo señaló el mismo Don Berna, este tipo de operaciones eran rutinarias, pues obedecían a la campaña exterminadora de la subversión.

Los objetivos no eran los guerrilleros, sino los ideólogos, de quien se decía que eran más peligrosos que los mismos combatientes.

En esa época el Cinep se había puesto en la mira de las autodefensas por ser el organismo que señalaba ante entidades internacionales las violaciones a los derechos humanos cometidas por los militares y los paramilitares. Se estaban convirtiendo en un estorbo y, como lo declaró el general Bonnet en la entrevista a *El Espectador*, esos señalamientos le hacían mucho daño a las Fuerzas Armadas.

El Cinep había denunciado las masacres realizadas por los paramilitares amparados por autoridades militares en el Bajo Atrato. Desde 1995, tuvo lugar un proceso de despojo sistemático de varias poblaciones en el sur del Chocó. En esa arremetida, una gran parte de los habitantes de los municipios y veredas de la zona se vio obligada a desplazarse. Algunos vendieron la tierra obligados, otros lo hicieron apurados por la urgencia de salvar sus vidas, y unos pocos simplemente dejaron sus predios abandonados. Los que no se marcharon sufrieron una serie de masacres con numerosos muertos. Los desplazados se dirigieron al Bajo Atrato para tratar de reubicarse. El Cinep delegó misiones para ayudarlos en el proceso. Los funcionarios del Centro empezaron a denunciar las masacres y a señalar a los culpables. Las amenazas no se hicieron esperar.

Las directivas del Centro tuvieron noticia de la reunión en donde fueron sindicados. Lo que no conocían era quién o quiénes eran los señalados. Tampoco supieron el grado de refinamiento alcanzado para la planeación del crimen. Gracias a declaraciones suministradas por algunos de los propios implicados, se supo que los seguimientos de los llamados objetivos tuvieron dos frentes: uno en Bogotá y otro en Sumapaz. En Bogotá, la inteligencia militar encargó a equipos especializados para hacer el mapa de los lugares que frecuentaba Mario Calderón. En Sumapaz, se designaron comandos militares para indagar sobre sus movimientos, estableciendo puentes con los campesinos de la zona. No se sabe hasta qué punto Elsa Alvarado figuraba en los planes de los asesinos. Es probable que ella solo haya sido una baja colateral, porque no existía ningún antecedente que la hiciera aparecer en la mira de los criminales. Por supuesto, don Carlos Alvarado fue víctima de una jugada fatídica del destino, que nada tenía que ver con nada.

En Sumapaz, un guerrillero de las FARC detenido por los militares se convirtió en informante. Darwin Lisímaco Betancur era el encargado de negociar los pagos de los secuestrados por las FARC. El Ejército lo capturó y, en lugar de seguirle un juicio, el comandante de la Brigada 20 le ofreció un trato a cambio de que realizara las pesquisas sobre los ambientalistas del Cinep.

Tanto en Bogotá como en Sumapaz el llamado *cantoneo* se ejecutó con un cálculo admirable. El equipo que le seguía los movimientos rutinarios a Calderón reportaba la información a los comandos militares. El grado de refinamiento llevó a que se infiltraran unos individuos en el medio laboral. Una pareja de Ciudad Bolívar que trabajó con Mario hizo parte de la estrategia de seguimiento, como se conoció más tarde. En Sumapaz, fue un poco más complicado porque la lealtad a Mario y a Elsa era legendaria. Los campesinos de la zona y el alcalde de Cabrera se negaron a prestarse para delatar a sus amigos, e incluso lo alertaron, pero eso no fue obstáculo para que los militares obtuvieran información privilegiada.

¿Por qué Mario Calderón y Elsa Alvarado fueron declarados el objetivo del Cinep? Ninguno de los dos trabajaba en la sección de derechos humanos. Elsa llevaba más de un año fuera del Centro. Surge la hipótesis de que cuando le llevaron la información sobre las personalidades que debían ser castigadas, Carlos Castaño recordó al cura que se les había escapado en Tierralta. Al enterarse de que Calderón hacía parte del Centro y del trabajo que realizaba en Sumapaz, declaró la sentencia sin dar lugar a la compasión.

Modus operandi

Diego Murillo es un hombre de complexión gruesa, bajito, rostro feo como un sapo, nariz aplastada y bigote frondoso. Su primer mote fue *el Ñato*. María Teresa Ronderos, en su libro *Guerras recicladas*, cuenta que Murillo fue militante del EPL en Medellín.

Un poco desencantado por la orientación del movimiento, había resuelto montar su propia facción disidente, llamada La Estrella. Comenzó a asesinar a dirigentes del EPL. Lo acusaron de traición y sufrió un atentado en el que quedó medio muerto, tanto así que alcanzaron a llevarlo a la Morgue. Allí alguien le escuchó emitir un quejido y se salvó. Al recuperarse, se cambió de bando y se unió a las autodefensas. En su prontuario, Don Berna fue encargado de las muertes de las más ilustres personalidades del país. Él reconoció su participación en los asesinatos de Mario, Elsa y Carlos, Jaime Garzón, Jesús María Valle, además de colaborar en varias masacres y mucho más. Él era el jefe de la banda La Terraza, a cargo de ejecutar los crímenes que ordenaba la Casa Castaño. También estaba a cargo de la Oficina de Envigado, el legado de matones que dejara Pablo Escobar. Don Berna reconoce sus crímenes, los justifica bajo la premisa de que estaban salvando al país del comunismo y todo se vale en la guerra. En una de sus frases célebres, afirma: «Yo soy bandido, pero hay personajes reconocidos de la clase política que son más bandidos que yo».

En declaración juramentada del 12 y 13 de febrero del 2012, Don Berna fue el primero que reveló los nombres de los culpables y el *modus operandi*. En su declaración ante los jueces del tribunal Justicia y Paz, confesó que la operación fue ordenada por miembros de la Brigada Militar para ser ejecutada por la Casa Castaño:

> […] esta es una información que le llega a Carlos por Inteligencia Militar, concretamente la pasa un coronel Plazas del Ejército, le decían Don Diego, que era el pseudónimo, le decíamos Don Diego. (…) Él pasaba la información de que los esposos Alvarado (sic) hacen parte de la estructura del ELN y son los que manejan la parte política y social. Se toma la decisión de trasladar a un grupo al mando del «Negro Elkin» y ellos ejecutan a los esposos Alvarado en su apartamento allá en la ciudad de Bogotá.

En su declaración, Don Berna justifica las acciones de las autodefensas como una forma de detener el avance del comunismo y de la subversión:

Las autodefensas era una organización político-militar con una propuesta para el país que se identificaba con unos sectores interesados en que en Colombia se mantuviera la democracia y que la guerrilla no tuviera espacio ni la posibilidad de triunfar. Nuestra guerra no solo era militar, sino ideológica y política.

El jefe paramilitar señaló igualmente al grupo de los Seis Notables como partícipes de la operación:

Yo lo llamaría el «Consejo Superior». Daban orientaciones en la parte política en la lucha contra la guerrilla y Carlos les consultaba decisiones trascendentales. Eran hombres de la más alta sociedad colombiana. ¡La crema y nata!

Los Notables apoyaban a los paramilitares desde su nacimiento y su interés era que las autodefensas evitaran acuerdos del Gobierno con grupos insurgentes y continuaran con su confrontación antisubversiva hasta que no hubiera ni un guerrillero en Colombia. Entre los seis Notables estaban Rodrigo García Caicedo, un prestante ganadero de Córdoba, José Miguel Narváez, profesor de la Escuela Superior de Guerra, Pedro Juan Moreno, secretario de la Gobernación de Antioquia, y Jorge Visbal Martelo, presidente de la Federación de Ganaderos, Fedegán.

En *Guerras recicladas*, Ronderos describe a los integrantes de este grupo. Rodrigo García Caicedo era un líder del Partido Conservador y había sido directivo del Fondo Ganadero de Córdoba. Fue objeto de extorsión y de la muerte de sus reses por parte del EPL y sobrevivió a los atentados realizados por las FARC. Los constantes ataques de la subversión lo llevaron a convertirse en uno de los principales consejeros de Carlos Castaño, así como uno de sus financiadores.

Jorge Visbal Martelo era presidente de Fedegán. «Desilusionado de la falta de acción contra la guerrilla y como responsable del sector más afectado por las continuas amenazas a los ganaderos, se unió a la lucha contra la subversión». Él visitaba los campamentos de las autodefensas en el Alto Sinú. Era muy amigo de Carlos Castaño, de Salvatore Mancuso y de Jorge 40.

Pedro Juan Moreno Villa era un exitoso ingeniero y comerciante de la ciudad de Medellín, miembro del Partido Conservador. Fue elegido concejal de Medellín, luego diputado y Representante a la Cámara. En las elecciones de 1994 hizo parte de la campaña del gobernador de Antioquia, quien lo llamó para que ocupara la Secretaría de Gobierno cuando salió elegido. En esta posición alcanzó fama de «matón, loco y atravesado», descripción que, según le confesaba a la prensa, no le molestaba.

Como secretario de Gobierno de Antioquia, Pedro Juan Moreno era uno de los asiduos visitantes de Carlos Castaño. Desde ese cargo, y en medio de grandes polémicas nacionales e internacionales, impulsó las llamadas Cooperativas de Seguridad y Vigilancia Privada (Convivir). Varios paramilitares desmovilizados han confesado que esas organizaciones fueron las fachadas de las autodefensas en diversas subregiones de Antioquia. La suerte de Moreno no fue muy afortunada. Al parecer, se enemistó con su antiguo jefe y murió en un accidente de helicóptero en extrañas circunstancias en febrero del 2006.

A José Miguel Narváez se le conocía como *el Profesor*. Él se convirtió en instructor del centro de entrenamiento paramilitar, la 21, conocido como La Acuarela. Allí funcionaba el Cuartel General de las autodefensas en tierras del Urabá antioqueño. Una de las cátedras que dictaba Narváez se llamaba *Por qué es lícito matar comunistas*. Sus pupilos se convertirían en los peores asesinos en las filas paramilitares. Incluso algunos de ellos han dicho que el profesor era demasiado radical. En sus clases y escritos, señalaba que había que cortarle la cabeza a la subversión. Esta cabeza no eran los campamentos guerrilleros, sino los ideólogos que propagaban la doctrina en la que se afianzaba la subversión.

En junio de 1997, Narváez publicó el texto «Guerra política como concepto de guerra integral», en el tomo 2 de la revista *Inteligencia Militar*. En este texto esboza su teoría de que el Estado no había ganado la guerra contra la subversión por enfocarse en los actores armados y no en su brazo político. El terrorismo de Estado se desató bajo esta premisa como parte de un plan criminal sistemático y generalizado contra defensores de derechos humanos, periodistas y gestores de paz.

Los Notables actuaban en concordancia con las Convivir. Estas cooperativas les otorgaron una supuesta legalidad a las acciones de los paramilitares. El Decreto 356 del 11 de febrero de 1994 dio carta blanca a la formación de grupos armados privados que tomaban la justicia en sus manos. Era la época en que abundaban los frentes guerrilleros que acosaban a los ganaderos y finqueros en todo el país. Lo curioso de la medida que permitía a las organizaciones civiles ejercer la defensa era que las acciones no estaban dirigidas en contra de la guerrilla, sino en contra de las poblaciones. Las masacres se convirtieron en una estrategia paramilitar para generar no solo terror, sino el control social y territorial.

Los cuatro casos

El crimen de Mario, Elsa y don Carlos hizo parte de esta ola de violencia contra líderes sociales y defensores de derechos humanos. Fue una época en la que se desató la violencia política y los grupos armados iniciaron una ofensiva contrainsurgente para demostrar quiénes tenían mayor poder y control sobre las poblaciones. La Oficina del Alto Comisionado de la ONU sobre Derechos Humanos en Colombia reveló que entre octubre entre 1997 y 1999 hubo más de cinco mil víctimas entre líderes y defensores de derechos humanos.

En ese tiempo ocurrieron cuatro casos representativos. El primero fue el de Elsa Alvarado y Mario Calderón en mayo de 1997 por su trabajo con poblaciones vulnerables y por la defensa ambiental. En este crimen, Carlos Alvarado fue una víctima colateral.

El segundo crimen fue el asesinato del líder político Jesús María Valle Jaramillo el 27 de febrero de 1998. Como director del Comité Permanente de Derechos Humanos en Antioquia, denunció los vínculos entre grupos paramilitares de Sucre y Córdoba con miembros de la fuerza pública. Reportó, además, la participación del Gobierno departamental en dos hechos violentos: la masacre de La Granja en 1996 y la masacre de El Aro en 1997. La matanza de La Granja dejó varios muertos y decenas de desplazados. En El Aro fueron asesinados quince campesinos en condiciones de crueldad abismales, y numerosas familias tuvieron que desplazarse tras ser desalojadas de sus tierras. Además, Valle Jaramillo denunció las estructuras de las autodefensas llamadas Convivir y la alianza de estos grupos con las autoridades gubernamentales y militares.

Jesús María Valle se opuso también a la construcción de la represa de Hidroituango y trató de convencer a las autoridades de la gobernación y a los contratistas sobre los peligros que implicaba el proyecto. No solo alertó sobre los desastrosos efectos ambientales y ecológicos, sino acerca de los riesgos del proyecto a nivel de ingeniería. Las autoridades no solo no tuvieron en cuenta sus advertencias, sino que además lo acusaron de oponerse al progreso del departamento y de calumniar a las fuerzas armadas. Valle recibió amenazas y supo de antemano que estaba en la mira de los asesinos. Incluso, se atrevió a denunciar a los agresores con nombre propio desde el Comité de Derechos Humanos de Antioquia. El homicidio de Valle Jaramillo fue perpetrado en su propia oficina en el centro de Medellín a la luz del día sin que nadie osara impedirlo. En este caso, existen suficientes pruebas de que el asesinato fue ordenado por la Gobernación de Antioquia. El caso aún se encuentra en proceso judicial.

La ola de crímenes continuó con Eduardo Umaña Mendoza el 18 de abril de 1998 en Bogotá. Umaña se desempeñaba como abogado penalista y tuvo la osadía de denunciar los crímenes de la Brigada 20 del Ejército. Además, lideró la defensa de las víctimas del Palacio de Justicia y de los miembros de la Unión Sindical Obrera (USO). Su muerte tuvo las mismas características de las anteriores. Recibió numerosas amenazas e intimidaciones y el asesinato sucedió en su oficina a la vista de todo el mundo. Los sicarios también hacían parte de la banda La Terraza de Medellín.

El último de los personajes que cayó en esta lista negra fue el periodista Jaime Garzón, asesinado el 13 de agosto de 1999. Tal vez el más visible de estos casos, el asesinato del conocido periodista, comediante y personaje de televisión, impactó a la sociedad colombiana, aun a aquellos que amparaban las maniobras paramilitares.

Estos casos comparten varios rasgos. Todos fueron comandados por Carlos Castaño acatando las órdenes de autoridades civiles y militares, y sucedieron con el apoyo logístico de la fuerza pública. Otra de las características es que los casos han quedado impunes porque los personajes que ordenaron los crímenes tienen demasiado poder y suficiente influencia en las entidades estatales para impedir que los procesos fluyan.

Pese a todos los esfuerzos por desviar la investigación y entorpecer las pesquisas judiciales, finalmente se conocieron los autores materiales del crimen de Mario, Elsa y don Carlos. La investigación identificó al dueño del celular que quedó en la portería del edificio y las líneas con las que mantuvo comunicación. El celular pertenecía a Juan Carlos González Jaramillo, alias *el Colorado*, y a su banda de Envigado.

La Fiscalía abrió una investigación formal el 18 de septiembre de 1997. En el proceso fueron vinculados varios de los integrantes de esta banda que le hacía trabajitos a La Terraza. Sin embargo, el único condenado fue Juan Carlos González Jaramillo, como coautor de los tres delitos de homicidio agravado, porte ilegal de armas de fuego, hurto y utilización ilícita de equipos de comunicaciones, a la pena de sesenta años de prisión. Actualmente, cumple su sentencia en la Cárcel de Medellín.

Varios de los sicarios acusados quedaron libres por tecnicismos jurídicos y otros fueron eliminados en la cárcel. Durante el proceso también fueron asesinados cuatro investigadores de la Fiscalía y un testigo clave, muerto pocas horas antes de rendir su declaración. Por supuesto, los jefes paramilitares no cumplieron ninguna condena porque no hubo necesidad. Ellos se mataron entre ellos mismos.

El coronel Jorge Eliécer Plazas Acevedo ha sido sindicado, aunque hasta el momento de escribir estas páginas no ha sido condenado. Hay un proceso en su contra, pero él nunca ha admitido los cargos. Además, el oficial ha pedido ser admitido ante la Jurisdicción Especial para la Paz (JEP).

Plazas Acevedo había sido condenado por la justicia colombiana por el secuestro y asesinato del israelí Benjamín Khoudari y por el secuestro del empresario Wilson Martínez. En 2003 se escapó de la Escuela de Caballería en Bogotá, donde estaba pagando cuarenta años de cárcel. Fue recapturado en 2014 en San Martín, Meta, por su participación en la masacre de Mapiripán. Actualmente se encuentra recluido en un Batallón de Facatativá.

CON RESPECTO A LOS CUATRO casos, la Fiscalía ha confirmado que los crímenes ocurrieron bajo el mismo esquema. Las víctimas eran defensores de derechos humanos y ambientales, miembros de organizaciones no gubernamentales; denunciaban irregularidades de los poderosos y políticas corruptas. El procedimiento fue el mismo. Castaño recibió la orden de eliminarlos, y él, a su turno, ordenó la ejecución a la banda La Terraza. Ellos organizaron a los sicarios para que se ocuparan de la logística material de los crímenes y completaran la acción. El esquema contemplaba liquidar a los sicarios después de los operativos para no dejar huellas.

Una figura clave en todo este entramado es José Miguel Narváez. Según Don Berna, Narváez era la persona que se encargaba de suministrar información sobre personas que tuvieran vínculo con la guerrilla o la izquierda: «Para Castaño, Narváez era un dios. Él le llevaba listas de los enemigos de la democracia y se refería a él como un hombre muy respetado en las Fuerzas Armadas». El jefe paramilitar Salvatore Mancuso corroboró esta declaración: «Cuando llegaba información de personas tan prestantes como el doctor Narváez, normalmente se daba por cierta, porque era un profesor de la Escuela Superior de Guerra y tenía acceso a información tan privilegiada; para nosotros, era una información totalmente confirmada».

Varios de los entrevistados para este libro han confirmado el nexo de Narváez con la Casa Castaño. Al parecer, Narváez sufría de una obsesión paranoica contra todo aquel a quien él considerara comunista. El apelativo *comunista* se refería a aquellas personas que pensaran diferente. Es decir, a individuos que hablaran de derechos humanos o ambientales o que trabajaran en favor de la sociedad. También eran sindicados los líderes que trabajaran con comunidades afro, indígenas y campesinos. Su lista macabra incluía a los periodistas que denunciaran atropellos a líderes sociales en sus escritos; a los defensores de derechos LGTBI y a los grupos feministas. Unos de los sectores más odiados eran las ONG, consideradas por Narváez *comunistas irredentos*.

José Miguel Narváez fue finalmente acusado y procesado por el asesinato de Jaime Garzón, aunque su caso fue dilatado por interposiciones de funcionarios afines a su pensamiento. Lo preocupante del caso es que tuvo tiempo, recursos y apoyo para instruir y capacitar a muchos en las premisas de su ideología. Su legado continúa vigente en el 2021. Sus pupilos abundan y se encuentran activos en las instancias del poder vigente. Son los encargados de señalar, perseguir, ultimar y asesinar a líderes sociales, ambientales, a los defensores de derechos de cualquier tipo, llámense humanos, ambientales, de las negritudes, de la población gay, de la vida y del acuerdo de paz.

Pese a todos estos señalamientos, la clave de quién o quiénes de mayor poder estaban detrás de la operación sigue siendo un enigma. Durante más de veinte años los investigadores, abogados y fiscales encargados del caso, han tratado inútilmente de identificar a los autores intelectuales del crimen de Mario y Elsa, y don Carlos, sin resultado.

15. CRIMEN DE LESA HUMANIDAD

La impunidad es un terreno propicio para generar incertidumbre
social. La impunidad genera desconfianza en las instituciones.
La impunidad no contribuye a que se pueda llegar a la verdad,
a que haya una memoria de lo que ha sucedido en el país. Y eso
conlleva al perdón, a la reconciliación y a la reparación.
—LUIS FERNANDO BARÓN

EL CRIMEN DE MARIO Calderón, Elsa Alvarado y Carlos Alvarado fue declarado de lesa humanidad el 12 de mayo del 2017, al cumplirse veinte años de ocurrido. La Comisión Colombiana de Juristas se hizo cargo del proceso judicial. Desde ese momento, ha trabajado para impedir que el crimen quede en la impunidad. El caso fue radicado ante la Comisión Interamericana de Derechos Humanos en mayo del 2019. Esto incluye no solo la reparación ordinaria, como indemnización, desagravio, el buen nombre, sino también sobre el legado de las víctimas. De igual forma, se piden las medidas de reserva que permitan reconstruir y reparar a los afectados como grupo.

Los abogados del caso, Gustavo Gallón y Sergio Ocazionez, opinan que el mayor problema estriba en la dificultad de procesar a los implicados. Únicamente una persona ha sido condenada. Los demás fueron absueltos o ejecutados por sus secuaces. Las declaraciones de Don Berna permitieron identificar a los militares que facilitaron la logística y aportaron las armas: el coronel Jorge Eliécer Plazas Acevedo y el general Rito Alejo del Río. Ambos están vinculados a otros asesinatos, incluyendo el de Jaime Garzón. Con respecto al crimen de Mario, Elsa y Carlos, Gallón asegura:

El asesinato de Mario y Elsa y Carlos es la agresión más impactante que ha habido en contra de defensores de derechos humanos en el país. Mario y Elsa eran dos personas que gozaban del aprecio por su sencillez, su compromiso, por su entrega y creatividad.

¿A quién le servían esas muertes?, continúa siendo el gran interrogante. En cualquier caso, los autores intelectuales lograron su cometido: lanzaron un mensaje de indignación muy fuerte hacia todos los defensores de derechos humanos. La forma como lo hicieron muestra la brutalidad que sacudió a las organizaciones de derechos humanos.

Gustavo Gallón presume que el asesinato estaba vinculado con las actividades de Mario en Sumapaz:

> Sumapaz es una zona donde ellos hacían un trabajo importante. Allí se enfrentaron a la guerrilla y al Ejército. Se hicieron ver como personas con ascendencia en la gente y los militares sospecharon que estuvieran ligados con la guerrilla. A pesar de que tuvieron confrontaciones verbales con la guerrilla, yo creo que no es casual que una semana antes los hubieran parado en el retén en Venecia. A la semana los mataron.

Gallón corrobora la teoría de que los paramilitares tenían una deuda con Mario desde hacía diez años, cuando no lo pudieron eliminar en Tierralta. Mario y sus compañeros jesuitas se habían opuesto a la compra de tierras por parte de los narcotraficantes del departamento de Córdoba. El sacerdote Sergio Restrepo fue asesinado en junio de 1989, pero los otros jesuitas se salvaron por distintos medios. Mario Calderón estaba en la mira porque, además, su lucha ambiental lo había llevado a denunciar los efectos nocivos de los proyectos hidroeléctricos de Urrá. Según Gustavo Gallón, la información suministrada en el retén fue decisiva:

> No era que los paramilitares lo estuvieran buscando por lo de Tierralta, sino al revés. Los del retén comandados por Rito Alejo del Río reportan inteligencia a Plazas Acevedo y él lo reporta a Castaño. Entonces él ve la conexión con el tipo que se les escapó en Tierralta y dice, «pues claro, a esa gente hay que acabarla».

Gallón, quien también está a cargo de los casos judiciales de Jaime Garzón y de Jesús María Valle, encuentra muchos vasos comunicantes en la ejecución de estos asesinatos. Según el penalista, formaban parte de una serie de acciones que se decidían por lo alto en una ofensiva de intimidación a los defensores de derechos humanos. Las órdenes provenían de altos sectores políticos y económicos en una cruzada por sembrar intimidación y terror.

La forma como fue ejecutado el crimen de Mario, Elsa y Carlos enviaba un mensaje de terror al Cinep por su trabajo en la defensa de los derechos humanos. Gabriel Izquierdo lo consideró así cuando admitió que con ese acto le rompieron el alma al Cinep. Muchos de los investigadores que trabajaban en la defensa de derechos humanos tuvieron que salir del país, otros cambiaron de rumbo. Todos quedaron aterrorizados.

Han pasado 24 años y las investigaciones continúan. La petición ante la Comisión Interamericana de Derechos Humanos busca comprobar la participación del Estado y la omisión para esclarecer el caso. Hay muchas circunstancias que responsabilizan al Estado colombiano. Según Gallón, si se produce una condena tomará muchos años en ejecutarse y para ese tiempo es posible que los implicados ya no estén vivos.

En los meandros de la muerte

Los directivos del Cinep estaban advertidos sobre las amenazas en contra del Cinep. Eran conscientes de que estaban en la mira de la alianza militar-paramilitar. Lo que no sabían era quién o quiénes serían las víctimas. Gabriel Izquierdo pensaba que él era el objetivo, como director y figura visible del Centro. Nunca se imaginó que fuera Mario, quien no trabajaba directamente con la división de derechos humanos y, menos aún, que actuaran en contra de su familia. El comunicado que emitió el Cinep el día del crimen señalaba a los verdaderos culpables sin temor a equivocarse. Entre los avisos y amenazas recibidas se encontraba la advertencia soterrada del comandante del Ejército, quien sindicó al Cinep «como una organización que le hacía mucho daño al país con el asunto de los derechos humanos». La reacción de las autoridades militares tratando de desviar las investigaciones y negando la acusación contra los paramilitares lo confirmó.

El Cinep tenía una vaga información sobre la reunión que se celebró en el noroeste antioqueño en la que se decidió la acción contra el Centro. Supieron sobre los señalamientos por parte de inteligencia militar. Se enteraron de que intentaban cometer una acción de escarmiento contra los defensores de derechos humanos. Lo que no sabían era quiénes eran los señalados.

Por eso Gabriel Izquierdo no se contentó con esperar el resultado de las investigaciones judiciales. Sabía de antemano que estas no conducirían a ninguna parte. Él se atrevió a confrontar al que dio la orden. Su certeza era tan perentoria que no lo dudó ni un instante. Así fue como organizó un viaje al Alto Sinú en las tierras de Córdoba, donde tenía su guarida Carlos Castaño.

En una entrevista dada a conocer por el documental *Contravía*, Gabriel Izquierdo relata su entrevista con Castaño. No fue difícil obtener los contactos y la entrevista. El encuentro tuvo lugar en una finca localizada entre Valencia y Tierralta. La reunión propiamente dicha se realizó en una gallera que se adecuó como sala de juntas. A Gabriel le sorprendió encontrar en esa reunión a gente conocida, inclusive a un antiguo compañero de la Javeriana. También asistió sor Teresa, una de las personas más poderosas de la organización. Ella era cuñada de Castaño y manejaba las relaciones financieras con empresarios, ganaderos e instituciones como el Fondo Ganadero de Córdoba.

El padre Izquierdo no se anduvo con rodeos. Apenas inició la reunión, lanzó la pregunta en forma de afirmación:

—Ustedes mataron a mis amigos.

Castaño le contestó con evasivas. Le aseguró que ellos no tenían nada que ver con esas muertes, pero aceptó que ellos sí estaban involucrados. Era una respuesta contradictoria.

«Yo le pregunté por qué no me habían matado a mí si yo tenía un perfil mucho más notable que Mario y Elsa», continuó Gabriel Izquierdo. Castaño reconoció que su objetivo era aterrorizar a los que trabajaban en materia de derechos humanos. Después de la reunión, cuenta Gabriel que le ofrecieron un almuerzo típico montañero. Su repudio era tan grande que no pudo ni comer del asco que sentía.

El padre Izquierdo pidió que lo llevaran de una vez al aeropuerto de Montería, donde tomaría el vuelo para Bogotá. Al parecer, los ánimos estaban muy caldeados porque el jefe paramilitar se había irritado mucho con las acusaciones del padre. Apenas subió al avión, Gabriel experimentó un alivio. Desafortunadamente, la visita no prestó ninguna utilidad. Por el contrario, enardeció los ánimos y no logró la confesión que esperaba. Las amenazas y acciones macabras en contra de líderes y defensores de derechos humanos arreciaron. La gente del Cinep se encontraba entre la espada y la pared.

En junio de 1999 el padre Fernán González asumió la dirección del Cinep. Ante la situación tan delicada que se vivía en el Centro, decidió intentar una vez más una entrevista con Castaño, y lo consiguió.

Cuenta González que antes de partir se reunió con Francisco de Roux y ambos concibieron una estrategia diferente a la empleada por el padre Izquierdo. Él sabía que tenía que enfrentar al jefe de las autodefensas con tacto y sin agresividad. Fernán llegó a la reunión acompañado por un cura de la región y una muchacha que había trabajado con Mario Calderón y Sergio Restrepo Jaramillo en Tierralta.

La entrevista se dio de manera amigable. Castaño había llegado tarde a la reunión y pidió excusas. Le dijo que acababa de llegar una delegación para pedirle que bombardeara El Caguán para acabar de una vez con la negociación del Gobierno con la guerrilla. Confesó que se había negado porque quería darle tiempo a Pastrana a ver si salía con algo en los diálogos que adelantaba con las FARC. Era la época en que el Gobierno del presidente Pastrana le había otorgado un territorio de despeje a las fuerzas revolucionarias en la zona del sur del país que se conocía como El Caguán, como un gesto de buena voluntad para afianzar las negociaciones de paz.

La conversación de dos horas se enfocó en la actualidad política del país. El jefe paramilitar le preguntó cómo veía la situación con respecto al presidente Andrés Pastrana. Castaño era conservador de la línea laureanista. Por eso, defendía el proceso de paz que adelantaba el presidente y afirmó sin reservas que él lo apoyaba.

En este primer acercamiento pudo entrever la personalidad del jefe paramilitar. Castaño era un tipo moreno de talla pequeña pero maciza. Tenía la mirada fija y hablaba con firmeza con su marcado acento paisa. Expresaba sus ideas con tal convicción y autoridad que nadie se atrevía a discutir. Era el típico campesino montañero, muy católico y conservador. Fernán se sintió entonces con la confianza de exponerle el motivo de su visita.

—Mire, la misión del Centro es la defensa de los derechos humanos y tenemos la obligación de denunciar los abusos que se cometen ante los organismos internacionales.

Castaño le reclamó que el Cinep denunciara las violaciones de derechos humanos de los militares y paramilitares, pero no denunciaban lo que hacía la guerrilla:

—Vea, en la guerra se cometen muchos errores. Yo reconozco errores. En lo que no estoy de acuerdo es que ustedes solo denuncian de un lado y no del otro.

La respuesta de Fernán fue enfática:

—Desde que soy director del Cinep, la política es denunciar las violaciones de derechos humanos, vengan de donde vengan.

Castaño le explicó que su misión era salvar al país del comunismo y de la subversión. Se mostró extrañado de que la gente no reconociera el servicio que prestaba a la patria. Sus convicciones estaban muy bien sustentadas. Castaño le aclaró:

—Ustedes creen que yo soy de extrema derecha, pero no es así. A mi derecha hay gente que está mucho más a la derecha que yo. Vea, las fuerzas militares defienden a los ricos y a los oligarcas, la guerrilla defiende a los campesinos, y yo defiendo a los campesinos medios.

De su conversación se podía inferir que Castaño obedecía órdenes, asegura el padre Fernán. «Los muertos de él se decidían en oficinas de altos mandos. A él le preparaban las víctimas y le iban echando el cuento para que tomara la decisión. El grupo de apoyo intelectual trabajaba en Medellín y Bogotá». El tipo tenía su grupo asesor en ambas partes.

La petición explícita de Castaño fue balancear las denuncias para que la posición del Cinep no favoreciera a ningún sector. El padre González aceptó y consideró la visita exitosa. Después de eso, asegura que la presión sobre el Cinep disminuyó por un tiempo.

Durante la reunión, se habló de la visita de Gabriel Izquierdo. La muchacha que lo había llevado le dijo que no se explicaba cómo el padre Izquierdo había salido vivo de esa entrevista. Parece que fue muy agresivo y eso enfureció a Castaño. Le contaron que a Gabriel casi lo deja el avión en Montería. Castaño llamó al aeropuerto y ordenó que pararan el vuelo. Con esto sugería que si el padre Izquierdo se hubiera quedado quizás otra hubiera sido su suerte. Así de grande era la influencia del mando paramilitar.

Como corolario, Fernán González relató que la semana siguiente mataron al profesor de la Universidad de Antioquia, Hernán Henao. Al parecer, a Castaño le dieron una información falsa sobre sus actividades. «Lo *sapearon* a Castaño con información absolutamente falsa. Alguien quería sacarlo del juego». Según Fernán, el tipo no tenía escrúpulos y, a la vez, un sentido de la justicia muy drástico. Una muy mala combinación.

Resulta paradójico que Carlos Castaño fuera un hombre tan fácil de contactar y de llegar hasta él. Él no tenía reparos en aceptar los crímenes que ordenaba y cometía. Sobre sus acciones el periodista Mauricio Aranguren escribió un libro bajo el título *Mi confesión*, que se vendió como pan caliente. Todo el mundo conocía su ubicación y sus actividades. Curiosamente, nunca fue sindicado, procesado o condenado por la justicia. Su muerte fue atribuida a su propio hermano, el jefe paramilitar Vicente Castaño, en abril del 2004. Todo parece indicar que el propio Carlos había matado a su hermano mayor, Fidel. Es decir, fueron víctimas de la guerra fratricida que ellos mismos crearon. Aunque ellos ya no siguen activos, su legado continúa vivo y latente.

Operación Transmilenio

Rosario Saavedra, quien llevaba más de veinte años como funcionaria del Cinep, relata que luego de la tragedia se cambió de apartamento de inmediato. Ella era compañera de Mario en el trabajo que realizaba el Cinep en Bogotá y específicamente en los barrios populares de los cerros orientales de las localidades de San Cristóbal y Chapinero. Por esto sintió miedo e incluso pensó en la posibilidad de estar en la mira de los asesinos. La paranoia fue tan grande que el solo hecho de escuchar la llegada del ascensor al piso donde vivía la llenaba de terror. El ambiente que se vivía en esa época era alarmante. Rosario lo resume así:

> El asesinato de ellos es el reflejo del momento tan duro que vivía el país en esa época. Los políticos, terceros implicados en el conflicto, y militares tomaban las decisiones de a quién deberían matar, y los paramilitares les hacían el trabajo sucio de acabar con los enemigos, de izquierda o comunistas. Hubo muchos asesinatos de profesores de la Universidad de Córdoba. Había un miedo espantoso. La represión era evidente.

Aunque el Cinep cambió de orientación y, según Fernán González, las intimidaciones disminuyeron, no todos los funcionarios opinan lo mismo. El padre Gabriel Izquierdo se vio obligado a salir del país por amenazas contra su vida, al igual que varios funcionarios del Centro. A partir del año 2000, las amenazas arreciaron.

Cuando Jorge Noguera asumió como director del Departamento Administrativo de Seguridad (DAS) y José Miguel Narváez como subdirector en el 2002, la persecución contra defensores de derechos humanos, incluidos los del Cinep, aumentó. Narváez estuvo a cargo de «las chuzadas» del DAS a todo aquel que mostrara oposición al Gobierno. Además, fundó el organismo de inteligencia G3 dentro del esquema de persecución a aquellos que no fueran afines al Gobierno. Según un informe de la Fiscalía, «el terrorismo de Estado se concretó en la utilización del poder oficial para intimidar, sabotear, destruir y generar pánico entre sus objetivos».

En un informe titulado «Influencia de las ONG ante la Corte y Comisión Interamericana de Derechos Humanos», se conoció la forma como el grupo G3 hizo seguimiento a todas las organizaciones de derechos humanos que tramitaban casos ante el sistema interamericano, en donde «deslegitimaban la labor de defensa de los derechos de las víctimas del Terrorismo de Estado». El grupo G3 fue creado para

> auscultar los pasos de grupos como algunas ONG y personas que tenían en común ser contrarios a la ideología gubernamental del momento en el país. Para ello, se les hicieron seguimientos ilegales, interceptaciones de móviles y de correos electrónicos, con la finalidad de informar al Gobierno sobre sus actividades, y para eso diseñaron estrategias para debilitarlos e intimidarlos.

El Cinep fue intervenido por el Estado en 2002. Rosario tuvo acceso al expediente que demuestra que todos los miembros del Cinep fueron interceptados en lo que se conoció como Operación Transmilenio. Fue parte de la estrategia diseñada por el DAS a través del G3 para intimidar a organizaciones como el Colectivo de Abogados Alvear Restrepo y a las ONG que denunciaban las acciones de paramilitares. Cuando ella conoció el informe años más tarde, comprobó que poseían información detallada de cada persona: direcciones, teléfono, correos electrónicos, así como registros de cada una de sus acciones, llamadas y movimientos. Ella intentó salir del país, pero al final se quedó muerta de terror.

Esto no fue obstáculo para que personalidades de la talla de los sacerdotes Francisco de Roux y Javier Giraldo continuaran sus denuncias sobre las acciones de todos los actores armados en contra de los derechos humanos. Ambos han sufrido amenazas, señalamientos y han sido acusados de todos los motes denigrantes con que la sociedad suele calificar a los defensores de la vida. Hasta la fecha, continúan firmes trabajando por la verdad y la justicia.

16. EL LEGADO

*Quien señaló el blanco sabía que su veredicto de sangre
extendió una advertencia a todas esas masas ilustradas y
en apariencia inofensivas. Quien señaló el blanco sabía
que le apuntaba no a unos cuerpos, sino al espíritu de un
conglomerado que asimiló el golpe y que trató de ponerle el
bálsamo en el desfile del mediodía del entierro...*
—ARTURO GUERRERO

LA MUERTE ABSURDA DE Mario, Elsa y Carlos provocó múltiples
demostraciones de repudio por parte de numerosos sectores en
todas las formas y manifestaciones. Los días posteriores al crimen
se convocaron marchas, protestas y movilizaciones en las calles.
Los medios destacaron las reacciones airadas de la gente y se conocieron proclamas por la vida, por la justicia y por la no impunidad.
Se lanzaron manifiestos por *Una utopía posible,* y llamados de Amnistía Internacional y de la Comisión de Derechos Humanos de las
Naciones Unidas para perseguir a los criminales. Más adelante, se
nombraron cátedras universitarias con el apelativo de Elsa Alvarado y se bautizaron parques del sur de Bogotá como Parque Mario
Calderón. Se han producido documentales y puestas en escena sobre su vida; se han escrito páginas web en su memoria, así como
ensayos y textos dedicados a su obra.

Algunas personas simplemente se sumieron en el silencio y en la introspección profunda. Otros huyeron del país para
siempre. El mutismo, la parálisis, el duelo por su memoria es una
herida profunda que continúa latente. Muchos de los amigos se
desgarran todavía al recordarlos. Con el paso de los años, han comenzado a despertar y a retomar acciones para asumir no el dolor,
sino el legado y para trabajar en proyectos que continúan la misión
de Mario y Elsa.

Claudia Mendoza, una de las amigas de universidad de
Elsa, lo expresa así: «Uno sabe que tiene que hacer ese duelo, no

es el duelo de la muerte de sus amigos, es el duelo de la justicia. Uno sabe que la justicia se murió hace rato». No solo es la muerte de sus amigos, son tantas muertes injustas. Claudia recuerda dónde estaba cuando mataron a Guillermo Cano, a Luis Carlos Galán y a Mario, Elsa y don Carlos. «Son momentos que van llegando uno tras otro. Uno aprende a hacer el duelo y a decir así es. Lo triste es que todos ellos forman parte de una población paralela que estaba construyendo el país».

Según Claudia, el legado de Elsa es la esperanza. «Nunca se dio por vencida. Nunca pensó para qué. Lo que escribió fue siempre con la esperanza de que ese trabajo tenía un sentido para que la gente viviera más feliz o al menos fuera menos desdichada. La certeza de que hablando se entiende la gente. Lo que ella hacía tenía un sentido inmediato, de praxis, de acción, de servicio. El legado quedó trunco. Cuando enseñaba, no lo hacía por razones fútiles, sino por la posibilidad de transmitir ideas y mostrando a los demás cómo pueden llegar a escoger su camino, abrirse a las posibilidades».

Para Juan Manuel, el principal legado de Elsa es la alegría. «Como si supiera que no le quedaba mucho tiempo, Elsa vivió la vida con gozo supremo y además lo transmitió a su alrededor. Mario y Elsa hacían una fiesta en medio de los programas sociales que impulsaban: en la defensa de las comunidades, en medio de las indignaciones y en el centro de los dolores nacionales. Ellos defendían la alegría, la risa, la capacidad de acogimiento y escucha del otro, de venga y lo lograremos». Destaca el carácter lindo, amplio e incluyente de la pareja como aliados: su capacidad de trabajo, la claridad política y la entrega a las causas comunitarias. Además, la posibilidad de la inclusión social, el respeto y la garantía de los derechos humanos, así como el activismo ambiental. «El legado se centra en su manera de ver el mundo desde la liberalidad, la amplitud, la solidaridad, y desde la vida misma. Ojalá nos estén escuchando», concluye con la voz quebrada Juan Manuel.

El Mono, compañero de universidad, define a Elsa con estas palabras: «Elsa era la *sonrisa*. Y esos ojos que le brillaban cuando sonreía, porque ella sonreía y se comía al mundo y se lo comía a uno de una vez. Y quedaba uno enloquecido con ella. Además, era una mujer tan hermosa. Caminaba con esa cadencia. Una mujer bella en todo sentido, intelectual, humano y físicamente». Asegura que el legado de esta pareja es la belleza expresada en la naturalidad, la autenticidad, y el compromiso con su causa.

Lucha condensa el significado del crimen con una frase: «Cuando los mataron, nos mataron a nosotros. Uno no se cura de eso». Tras una pausa, afirma: «Ellos eran tan especiales y maravillosos. Dejaron una huella tan profunda. Eran parte de un hervidero de gente que querían hacer una Colombia mejor. Rescatar los derechos, la creación de un país incluyente». Su furia la volcó sobre el país: «Yo no quería nada más con Colombia, donde puede pasar esto no vale la pena vivir. Mi único objetivo fue irme y ya nunca más volví». Desde hace más de veinte años, vive en el exterior.

Ángela Sánchez recuerda a Elsa desde la visión de la maternidad en un país en medio de la guerra:

> Las mujeres colombianas deberíamos seguir el ejemplo de las peloponesas que se negaron a parir hijos para la guerra. Iván no lo sabe aún, pero él es fruto del amor y el optimismo —quizás la ingenuidad— con los que sus papás opusieron resistencia a la violencia. Amor y humor que consolidó el romance contra todas las barreras, incluido el hecho de que Mario era sacerdote jesuita. Renunció formalmente a sus votos, pero no a su vocación de guía espiritual. A veces atendía en la hamaca de su oficina, con su semblante de sefardí, bigote sonriente y gorro afgano. En lenguaje sencillo, repartía consejos de refinada erudición.

Ángela los define como personas «absolutamente solares, vitales, luminosas, fértiles, llenas de vida». No militaban en ninguna causa que pusiera en riesgo sus vidas ni las de Iván. Para ella, Mario y Elsa «fueron chivos expiatorios de una situación que los desbordaba y que no tenía que ver con ellos específicamente ni con su proyecto de vida».

Leopoldo Múnera, profesor de la Universidad Nacional, reconocido por su trabajo en la defensa de derechos humanos, no entiende por qué señalaron a Mario:

Mario era un ser de vida, de diálogo y de pacifismo. Buscaba integrarse con los otros, más que enfrentarse. Era un constructor de consensos dentro de lo posible. Lo incomprensible es que lo hubieran matado con Elsa y su padre, además, del trauma provocado a doña Elvira y a Iván. Eso produce un quiebre interno frente a este país en el que queremos seguir viviendo. Es comprender que la guerra es despiadada y no tiene ninguna ética, que no perdona a nadie.

Ratifica que la muerte de Mario y Elsa quebró muchas cosas. «Yo creo que al matar a Mario y a Elsa nos quebraron un ser colectivo. Hablar, escribir, investigar no es fácil cuando uno tiene esa herida profunda». Esto explica que no se haya escrito un libro con las memorias de ellos hasta ahora.

No obstante, cree que el legado de Mario fue muy importante para la construcción de la Reserva de Suma-Paz y el trabajo ambiental que sembró. Según Leopoldo, Mario logró elaborar una percepción que él llama *ecosocialista* muy profunda. El ecosocialismo conjuga el pensamiento de Mario con respecto al papel que cumple la dimensión social en el universo. Es decir, la manera como los seres humanos median la relación con la naturaleza y, a la vez, cómo la naturaleza media la relación con los seres humanos. Mario tenía una visión muy avanzada para el medio ambientalista colombiano. Y ese es el legado que persiste y se debe seguir construyendo.

Marisol considera que Mario logró demostrar que lo ambiental es transversal a todos los procesos de negociación social y económica y dejó muy claro el valor fundamental del agua asociado al territorio. Según ella, Mario defendió el concepto de territorio y la vinculación de los procesos sociales a la protección de la biodiversidad. Elsa captó la propuesta, consolidó su propia línea de acción y se integró totalmente al proceso.

LOS MIEMBROS DE LA RESERVA de Suma-Paz retomaron parte del trabajo ambiental y social. La labor continuó con un proyecto en Santander que proponía un corredor biológico de robles y una agenda ambiental del agua. Allá trabajaron y recogieron historias de poblamiento y cambios del paisaje que fueron publicados con algunos mapas muy artesanales. El objetivo era resignificar la memoria y la historia de esos territorios, aprovechando el modelo utilizado en Sumapaz. Marisol asegura que Mario fue muy importante en la semilla de todos estos proyectos. Él dejó establecidos contactos con los líderes y sembró los principios de la conciencia ambiental.

Juan Gaviria está convencido de que Mario era un profeta: «No dudo que era un profeta, un poeta, un hereje, anarquista y libertario. Con su muerte se destruyó toda la construcción cultural que él creó». La Diócesis de Oriente era una iglesia sin dogmas y sin ortodoxias. Fue muy difícil encontrar un sucesor y se desarticuló hasta sucumbir.

Rosario también destaca el carácter de profeta y el espíritu herético y provocador de Mario. Afirma que a él le gustaba provocar con sus ideas y con sus comportamientos. Pero también tenía el don de la comunicación con la gente: Mario tenía la capacidad de escuchar las necesidades, no de una forma paternalista, sino de construir con ellos. Después de la muerte designaron el Parque Mario Calderón en el barrio Sucre, donde él impulsó una campaña de siembra de árboles.

Inés Calderón, hermana menor de Mario, expresa que no le sorprendió la suerte que corrió su hermano porque «él era libre como las aves y nada lo ataba. Él era muy entregado a ayudar a todo al que pudiera... Antes duró mucho tiempo». Con esta afirmación parece indicar que en Colombia no sobrevive la gente que trabaja para ayudar a construir el país.

José Ricardo Alvarado recuerda a su tío Carlos como «un hombre muy bien hablado, cariñoso; y, aunque serio, tenía momentos de buen humor. Era detallista y gran conversador pero, en momentos, reservado y tímido. Fue un gran trabajador, pero nunca lagarto o burócrata. Los hogares de los Alvarado Sánchez y Alvarado Chacón fueron muy cercanos por la unión de sus padres». Las familias se criaron juntas cuando Ricardo y Carlos estudiaron sus posgrados en Estados Unidos. Eso permitió que a lo largo de la vida los primos fueran muy amigos y compartieran etapas importantes de crecimiento y madurez. El primo recuerda el hogar de Carlos, Elvirita y de sus hijos como uno donde prevalecía «la transparencia, la verdad, el carácter y la excelencia».

Catarsis

Consuelo Pabón, la prima y compañera más cercana de infancia y juventud de Elsa, se vio precisada a recurrir al arte y al ritual para superar la depresión en la que se sumió tras el asesinato. Ella asegura que con el crimen de Elsa, de Mario y del tío Carlos, «nos robaron la historia, la memoria y la identidad».

Como filósofa y artista, diseñó una serie de *performances* que le permitieron conciliar el dolor desde junio de 1997 hasta mediados de 1998, cuando presentó la Conferencia experimental «El Doble» en el marco del Salón Nacional de Artistas, en Corferias. Consuelo plantea allí que la ritualidad provee una ruta de sanación que parte de lo personal, pasa por lo mítico y se convierte en lo filosófico. En su caso, ella necesitaba cruzar la frontera con la muerte para encontrarse con su melliza o doble y transformarse como individuo. En un acto escénico producido por ella, retoma la idea del doble como concepto y práctica indígena que va más allá de la identidad, de la memoria y de la historia. Para el guion, se basó en investigaciones sobre la crueldad americana de Antonin Artaud incorporando textos de Carlos Castañeda y fragmentos de leyendas amazónicas.

Durante el acto escénico el personaje vestido de blanco con unas grandes alas se mece en un columpio, como tantas veces lo hizo ella en su infancia acompañada por Elsa. Más allá de la dimensión angelical, lo que busca es la dimensión chamánica de los vuelos cósmicos que pululan en las piezas del Museo del Oro. Intenta recrear el viaje chamánico en busca de su melliza cósmica que se halla tras la grieta del inframundo. La grieta se abre cuando Xolotl, uno de los personajes que la acompañan, rasga el velo blanco que cubría la parte posterior del escenario. A medida que el columpio cobra impulso, atraviesa la grieta y entra en el mundo de la muerte; es allí cuando el *performance* llega a su punto culminante: el encuentro con su doble. En la escenografía se incorporan los recuerdos de la infancia como emblema de la relación entre

Consuelo y Elsa. «A medida que atravesaba la grieta, me encontraba con mi doble —mi gemela—; en ese ir y venir, mi energía se fue transformando, convirtiéndose en una experiencia vibratoria compartida con los espectadores», explica Consuelo.

Consuelo expresa que al bajarse del columpio se sintió nivelada. La depresión dio paso a una transformación interior y exterior. Se sintió renacida y aliviada de afecciones de salud que la habían aquejado desde la muerte de su prima. Perdió el miedo y tomó acciones decisivas. Su finca se convirtió en una reserva natural siguiendo el modelo de la Reserva de Suma-Paz. Actualmente, realiza talleres de educación ambiental en su finca, localizada en Carmen de Apicalá, Tolima. Se siente orgullosa de haber convertido su propiedad en un modelo de educación sobre recursos sostenibles y la preservación ecológica utilizando como herramientas la filosofía y el arte. Consuelo encontró el equilibrio al fundirse en su doble encarnada en Elsa.

Reparaciones

El psicólogo de la Comisión Colombiana de Juristas, Cristian Peñuela, realizó un informe sobre las afectaciones y daños generados a las víctimas por el asesinato de Mario, Elsa y Carlos. Este informe ha sido presentado a la Comisión Interamericana de Derechos Humanos para la reparación integral a favor de familiares y las organizaciones en las que estaban involucrados.

Los cuatro grupos identificados son la Reserva Natural de Suma-Paz, el Cinep, la Diócesis de Oriente y el Movimiento Ecuménico. Las reparaciones contemplan a las familias Calderón y Alvarado, en particular, al hijo de la pareja, Iván.

En los grupos mencionados, se resume la vida y obra de Mario y Elsa. Todos ellos se vieron afectados en su conjunto por la pérdida de la pareja y por lo que ellos representaban. Muchas de las iniciativas y proyectos que habían abanderado y que se encontraban vigentes al momento de su muerte, decayeron o quedaron inconclusos.

En la Reserva de Suma-Paz, Mario trabajó para establecer una unión comunitaria entre espiritualidad-naturaleza y paz.

Fue uno de los fundadores de la Red de Reserva de Suma-Paz constituida con la intención de administrar el ambiente y preservar las reservas de agua. Luego, Elsa se integró al proyecto y ambos intentaron crear una comunidad autogestionable con proyectos sostenibles y vocación solidaria. El objetivo era crear fábricas de agua con sostenibilidad ambiental. Además, llevaban a cabo un trabajo con la comunidad. La gente los escuchaba y apoyaba sus propuestas.

Con su pérdida, se fracturaron las dinámicas y el trabajo comunitario en la región. Los miembros de la Reserva dejaron de hacer presencia. La gente se marchó de los territorios. La manera como sucedió la tragedia generó pánico y desplazamientos. Los actores armados seguían activos en la región. Pasaron ocho años antes de que los integrantes de la Reserva regresaran y se hicieran presentes de nuevo. En la actualidad, pese a que los hijos de los primeros miembros han retomado las iniciativas de los padres, los campesinos sienten mucha desconfianza y el trabajo avanza a paso lento.

Un comunicado de Reserva Natural Suma-Paz abordó con palabras exactas la misión y el legado de Mario y Elsa en la región del Páramo:

> Mario y Elsa, corazón de la Reserva Natural Suma-Paz. Durante siete años trabajaron buscando la manera de construir en los pobladores la cultura del agua. Con su trabajo acompañaban a los campesinos de la región en la búsqueda de formas sostenibles de vida, transformando sus sistemas de producción tradicional en actividades que los convirtieron en productores de agua. Con ellos logramos entender la importancia de cristalizar la dimensión ambiental en la búsqueda de alternativas de paz. Ante este acto atroz queremos preguntar a los colombianos si la paz se construye con esta guerra sucia.

El Cinep fue quizás el sector más perjudicado. Los investigadores del Centro se sintieron amenazados por mucho tiempo después del acontecimiento. Algunos se retiraron y se marcharon del país. Otros tomaron más empeño en la cruzada en defensa de los derechos humanos. En su gran mayoría, se vieron obligados a vivir bajo protección permanente. El hecho de ingresar a una entidad rodeada de policías y con sistemas de seguridad sofisticados para garantizar la seguridad del personal hacía muy difícil la confianza y el rendimiento.

La Diócesis de Oriente recibió un golpe contundente con la muerte de su guía y líder espiritual. Lo que muchos consideraban una tomadura de pelo llegó a tener gran alcance entre los amigos y relacionados que le siguieron la pauta al Obispo de Oriente. La creación de la Diócesis obedeció a la crisis de fe en la institución de la Iglesia católica que sufrió Mario cuando se retiró del sacerdocio. Mario intentó lograr esa apertura y diálogo entre espiritualidad, naturaleza y paz. Fue así como rompió con las jerarquías ortodoxas y formó un modelo que establecía canales de comunicación entre presbíteros y laicos. Desde la Diócesis de Oriente creó una ritualidad diferente y estableció un modelo que respondía a su idea de comunidad espiritual.

Los seguidores no se dieron cuenta del impacto que la Diócesis tuvo en sus vidas hasta después de la muerte de Mario. La comunidad quedó tan afectada que se disgregó. Esto dejó un daño espiritual profundo entre los seguidores. Uno de los miembros que cumplía con el papel de asistente del Obispo de Oriente asumió el liderazgo, pero no tuvo acogida. Se comprobó que Mario era irremplazable en su función de líder espiritual. Los miembros se negaron a participar en otros proyectos. No hubo seguimiento. Cristián Peñuela asegura que esta diócesis fue importante porque generó ruido en la Iglesia católica. Era natural que encontrara fuerte oposición y resistencia por parte del clero.

El movimiento ecuménico resultó también afectado porque Mario y Elsa trabajaron en diversificar las agendas de esta organización. Elsa fue una de las que más dinamizó el movimiento a través de sus proyectos de radio comunitaria.

Cristian hace la distinción entre el movimiento ecuménico y la Diócesis de Oriente, a pesar de que estaban relacionados. La Diócesis fue un invento de Mario, pero al ser un grupo de carácter religioso se asoció al movimiento ecuménico. Sin embargo, cada entidad tenía su agenda por separado.

Eran tantas y tan diversas las inquietudes y los proyectos que no sorprende que, más de veinte años después de su fallecimiento, los amigos, conocidos y quienes trabajaron con ellos no dejen de llorarlos y de recordar su legado.

Las agendas ambientales de Suma-Paz
se quedaron sin paz.

Los proyectos de extracción minera y maderera
arrasan sin piedad.

Las constructoras que depredan cerros y secan riachuelos
continúan su devastación.

La quebrada Las Delicias, que tanto defendió Mario,
dejó de fluir.

Los amigos extrañan los consejos de refinada erudición de Mario
y la sonrisa avasalladora de Elsa.

Los defensores de la vida y del ambiente
continúan cayendo en una espiral de terror.

Hay cosas que no tienen reparación.

IV
AIRE

El Dios Sol y la Serpiente se unieron para defender a la laguna de la depredación y al hacerlo fueron eliminados por las fuerzas del mal. El sol se remontó al cielo y la Serpiente se escondió en el fondo de la laguna. Ellos se convirtieron en los guardianes estelares. El hijo sobreviviente creció y se fortaleció.

Él es el portador de la simiente de vida que da continuidad a la obra de sus padres.

Iván Calderón Alvarado habla en la Cumbre
de la Verdad en noviembre de 2019

17. EL FUTURO

*No tenemos tiempo infinito, y por lo menos si
desenterramos la verdad de cómo se consolidó esta guerra,
lo sabremos antes de que el conflicto en Colombia pase de
los padres a los hijos y el ciclo se repita.*
—IVÁN CALDERÓN ALVARADO

IVÁN, EL HIJO DE Mario y Elsa, creció para convertirse en un joven adulto que ha asumido su destino como portador de un legado, no el que le impone ser hijo de sus padres, sino el que él mismo se ha forjado como sujeto fiel a su tiempo y a sus circunstancias. Este legado no consiste en continuar la obra que ellos dejaron inconclusa en cuanto a proyectos concretos, sino en trabajar por una Colombia más justa.

No ha sido un proceso fácil despertar a la vida y comprender que sus padres fueron grandes personajes. Tampoco lo ha sido asimilar su condición de víctima de la violencia descarnada de Colombia.

Iván se crio en el hogar de Jorge y Elvira, sus tíos maternos. Desde el principio, Elvira María consideró que Iván era suyo. Ella cuenta que el día del entierro, luego de las exequias, se reunieron en su casa las hermanas de Mario: Inés, María Luisa, Ana y la tía Beatriz. Una de ellas dijo: «Mira, tenemos entendido que estás haciendo un doctorado. Tenemos un sobrino casado que no ha podido tener hijos y la esposa ha dicho que le gustaría adoptar….». Elvira no le dejó terminar la frase. Se paró y lanzó la sentencia: «Eso no está en discusión, el niño se queda conmigo».

Elvira María no sabía en ese momento que existía todo un procedimiento legal para ese tipo de casos. La ley establece que el primer acudiente es la mamá de la víctima; le sigue la mamá del hombre, la hermana mayor, y así sucesivamente. En este caso, la primera persona sobre la que recaía la responsabilidad era la abuela materna, Elvira Chacón. Doña Elvira, otra víctima sobreviviente del crimen, había quedado incapacitada y afectada psicológicamente por el trauma del evento.

Ella delegó de inmediato la responsabilidad: «Yo considero que mi hija, Elvira María, es la llamada a hacerlo». Elvira y Jorge no habían tenido hijos y de alguna manera, desde que ella vio el embrión de Iván en la primera ecografía como una *fresita*, supo que ese hijo era tan suyo como de su hermana.

Elvira no solo se hizo cargo de Iván, sino de su madre. Ambos se fueron a vivir en su casa. Su esposo, Jorge, aceptó sin reparos. Y la familia se organizó en torno a este nuevo orden. Elvira impuso condiciones especiales. Instaló sistemas de protección para aislar toda injerencia externa y para tratar de crear un ambiente de normalidad a su alrededor.

Iván fue adoptado pero conservó sus apellidos. A medida que crecía en un ambiente sano y transparente, se enteró de quiénes eran sus padres de acuerdo con la edad. Le mostraban la foto y le decían: «Papá Mario y mamá Elsita, son ellos. Yo soy mamá Elvira y papá Jorge».

Elvira recalca que no quería que él creciera con odios hacia las instituciones, porque no todos son malos. Iván tenía que crecer en este país y aprender a respetar y confiar en el Estado. Aprendió también que dentro de estas instituciones hay grandes injusticias de algunos estamentos involucrados.

A medida que crecía, Iván se enteró de que sus padres y su abuelo fueron las víctimas de un acto atroz. Supo también que hay otras personas que sufrieron lo mismo. Paulatinamente, ha asimilado la misión que cumplían, los proyectos que adelantaban, los ideales que construían. Ha descubierto el gran legado que dejaron. Reconoce que Mario, Elsa y su abuelo Carlos fueron seres extraordinarios, y resiente con mucho dolor que unas fuerzas externas le hayan impedido conocerlos y crecer a su lado.

Elvira María se siente orgullosa de la persona que es Iván ahora, un joven profesional en Sociología, como su padre, sin rencores ni atavismos. Él se ha propuesto conocer la vida de sus padres y aprender sobre los programas que lideraron. Al mismo tiempo, ha asumido su compromiso como parte de los hijos de la violencia. Ha conocido y entablado relaciones con otras personas como él: los descendientes de otros grandes líderes. Con ellos ha generado iniciativas en torno a la justicia social y a que se conozca la verdad sobre sus progenitores.

Conversación con Iván

Iván llegó antes de la hora de la cita. Lo vi subiendo las escaleras al tercer piso de Unicentro, donde se encuentra la plazoleta de comidas. Habíamos concertado el encuentro desde hacía casi un mes. No había sido nada fácil. Cuando por fin me decidí a escribirle por el Messenger de Facebook, me respondió afirmativamente. Luego, seguimos comunicándonos por WhatsApp. Acordamos una fecha, pero él recordó que tenía la sustentación de su tesis ese mismo jueves 18 de julio. Luego se retractó, no era ese jueves, sino el anterior. Finalmente, nos encontramos. Lo vi avanzar por las escaleras y lo reconocí de inmediato. Vestía *jeans*, chaqueta deportiva y llevaba una mochila. Su rostro con rizos sobre la frente y ojos negros profundos me recordaron de inmediato a Elsa. Cuando llegó al tope de las escaleras, me miró, y preguntó, ¿*Elvira*? Los primeros momentos fueron un poco tensos. Le expliqué el proyecto. Añadí que yo había sido periodista en Colombia y profesora en Estados Unidos. Se quedó mirándome y me preguntó con solemnidad: «¿Por qué en el imperio?». Me turbó esa pregunta. Le contesté: «El imperio me ha dado las herramientas». No sé si lo convencí. Poco a poco, se soltó a hablar.

A medida que tomaba confianza y se desinhibía, fue dando rienda suelta a emociones, recuerdos, resentimientos, pesares y rabias acumuladas. El diálogo es un poco desconectado. Pedimos almuerzo y costó convencerlo para que se dejara invitar. Cuando le dije que para mí este encuentro representaba mucho, preguntó por qué. Le dije simplemente: «He esperado veintidós años este momento».

La siguiente es la conversación con Iván Calderón Alvarado, el muchacho que sobrevivió al asesinato de sus padres. No, él no estaba escondido en el clóset. Me pidió encarecidamente que desmintiera ese mito:

> Yo tengo dos pares de padres. Unos viven en el norte y otros más al norte, cerca de Chía, en el cementerio Jardines de Paz. ¡Literal!

Así describe Iván la dicotomía que define su vida en el proceso de entender su crecimiento en un ambiente cómodo, sano y seguro, y de ser parte de una tragedia que ha descubierto y asimilado paulatinamente. Iván creció rodeado de amor, seguridad, tíos, primos y padres superprotectores:

> A veces, mucha protección, he sido sobreprotegido. Mis padres adoptivos, papá Jorge y mamá Elvira, nunca me ocultaron ninguna información. Tenía que crecer para entender un poco más. Ha sido un proceso muy largo que he tenido toda la vida para meditarlo y reflexionarlo. Por lo tanto, yo creo que no había un momento en el que yo haya caído en una angustia existencial por enterarme de quién soy hijo. Afortunadamente, tuve una fuerte base de apoyo amoroso que me hizo muy resiliente. Y para mí siempre ha estado muy claro que tengo más de dos padres.

Cuando Iván se dio cuenta de que había sido víctima de un acto tan atroz, y que el mundo alrededor lo consideraba un símbolo de las víctimas de este país, le costó asimilar esa responsabilidad:

> Crecí viendo las noticias devastadoras de este país desde principios de los dos mil. No entendía muchas cosas. Siempre he sido muy lector de la historia. He visto la devastación de todas las guerras. Aunque a veces no se habla muy directamente de las víctimas, pensaba qué pensarán las familias de toda esta gente que aguantó la fatalidad de la guerra. Crecí meditando todas estas cosas. Poco a poco, cada día. Creo que siempre fue un proceso muy reflexivo. Y me pregunto qué puedo hacer yo. ¿Puedo hacer algo diferente?

Cuando entendió el papel que jugaba en ese entramado, comprendió algo muy importante:

Tengo una responsabilidad. No un deber. Es una carga muy grande saber que eres el hijo de unos seres tan extraordinarios. Entender que la gente espera que seas como ellos. Imagínate la responsabilidad.

Conocer a los hijos de otras personalidades asesinadas, tales como Camilo Umaña, José Antequera y María José Pizarro, fue un acto de conciliación consigo mismo, porque comprendió que hay muchos que comparten su experiencia:

> La primera vez que tuve el placer de hablar con José Antequera y María José Pizarro fue un momento hermoso. Porque realmente nunca había encontrado otras personas con las cuales se pudiera hablar de estos temas. Realmente, estás muy solo. No te vas a encontrar con otra persona que pueda entender ni hablar de esta experiencia porque realmente no han pasado por lo mismo. Pero, cuando encontré otras personas con historias similares fue como encontrar un vínculo que nunca había tenido con alguien más. Ellos eran mayores que yo y estaban más proyectados que yo. Fue genial.

La imagen que ha forjado de sus padres ha sido un proceso de descubrimiento y reconocimiento no exento de dolor:

> Mi padre era una persona increíble. Nunca acabaré de comprenderlo. Tengo unas cajas, las tengo guardadas… Siempre que agarro los escritos, me da algo. No los he leído. Siempre he querido preguntarle a mi abuelita cómo fue la noche que murieron, pero no lo hago. No quiero amargar mi vida haciendo esas cosas. Y dejo para mañana.
>
> Mi padre era muy idealista. Trabajaba con las comunidades, recuperaba lo espiritual, buscaba el verdadero intelecto, aunque le costara la vida. Su visión era compartir el amor libre con todos. Entender por qué la sociedad humana tenemos tantos problemas para vivir en paz entre nosotros. Buscaba la paz en todos los sentidos.
>
> Tenía demasiados amigos y yo no sé de dónde salen tantos. Cada uno afirma que era su mejor amigo y esto no puede ser verdad. Él lograba hacer entender lo complejo de manera coloquial.

Tenía un talento especial para dialogar, escuchar a la gente y para inspirar la búsqueda de más conocimiento. Sus palabras motivaban la introspección en la gente y la hacía reflexionar. Poseía mucha facilidad para convocar, aconsejar y ser sencillo a la vez.

Mi mamá era una mujer superdulce, tierna y efectiva en el trabajo. Mis tías le decían «Mi sargento» porque sabía dar órdenes de manera suave, pero con autoridad. Cuando a mi papá se le ocurría llevarme en la moto hasta Sumapaz, mi mamá volteaba, lo miraba y le decía: «No, Mario, ¿de qué estás hablando?». Y él solo respondía, «como tú digas, querida». Me han contado que era una mujer extraordinaria. No tengo ningún recuerdo, y si los tengo, mi inconsciente los tiene bien guardados. Estoy bien sin que salgan.

Reconoce que la imagen de Mario y Elsa se convirtió en una leyenda. Todos sus amigos los recuerdan como los seres más especiales, una pareja divina, perfecta:

Los han mitificado demasiado y siento que se ha perdido la objetividad. Pero, a veces pareciera que no. De verdad eran seres, al parecer, de otro mundo. Y eso lastimosamente abre una llaga. Cómo unas personas tan extraordinarias que eran mis padres…

Iván hace una pausa y se le quiebra la voz. No es fácil reconocerse como fruto de esa unión mística y un tanto mítica, y comprender que le fue arrebatada la posibilidad de crecer a su lado y aprender de ellos.

… Y yo pude haber aprendido tanto de ellos, y me los quitaron. Esa llaga a veces incomoda, y ahora está incomodando y está doliendo… Investigar más es saber de ellos, pero también, es darse cuenta de que no los pude conocer… Eso es feo.

Iván es un joven abierto a las ideas y al mundo como sus padres, pero ha crecido con un sentido de introspección. Confiesa que se siente mejor cerca de la naturaleza. Cuando estudiaba en el colegio San Bartolomé La Merced, acostumbraba a pasar los tiempos libres en el bosque que rodea el plantel en la cima de la colina. Le encantaba penetrar en el bosque lleno de neblina, fundirse en el verde, escuchar el silencio y sentirse acariciado por la brisa tibia de Bogotá, así como el canto de las hojas sopladas por el viento.

Le molestaba ser objeto de atención por parte de profesores que lo señalaban como el hijo de Mario Calderón. Los sacerdotes jesuitas eran más comprensivos y lo protegían de la intromisión de los maestros. No entendía por qué la fijación en todas sus actuaciones. Por un tiempo quiso pasar inadvertido y ser como cualquier muchacho con derecho a ser distraído y hasta sacar malas calificaciones. Sin la prevención de que cualquier comportamiento obedecía a un trauma que cargaba en el inconsciente, como pretendían hacer creer las psicólogas del colegio.

En el proceso de descubrir quiénes eran sus padres, Iván comenzó a conocer a los amigos de Mario y Elsa y a preguntar por ellos. En la universidad, encontró a muchos de sus compañeros y conocidos. A medida que aprendía sobre la obra que construyeron, se involucró en las tareas que dejaron inconclusas. El temor de ser reconocido como el hijo de la pareja Calderón Alvarado se disipó y asumió con orgullo su nombre completo: Iván Calderón Alvarado con todas sus letras.

Un día estaba en un evento con José Antequera y yo hablé después de él. Al final de mi intervención, José me presentó a su madre. Ella se quedó mirándome y me dijo: ¿Tú eres Iván? La próxima vez que te presentes es muy importante que digas: «Soy Iván Calderón Alvarado, porque ese nombre tiene una carga simbólica muy fuerte. Hazlo». Eso me impactó mucho.

La época de universidad representó para mí conocer muchas facetas mías. Cuando estaba en sexto semestre fui a una finca con unos amigos. En un momento dado, les conté toda la historia. Fue como una bomba. Y vi que mis amigos me miraron distinto. Una vez, en una clase me pidieron que llevara fotos de líderes sociales o defensores de derechos humanos. Yo llevé la foto de mis padres y cuando se las mostré me ataqué. Entonces, a través de todos esos procesos dejé de ser Iván para convertirme en Iván Calderón Alvarado. Lo he asumido.

Cuando supo que había un terreno en el páramo de Sumapaz que le pertenecía, se unió con otros hijos de los fundadores de la Reserva y retomaron la bandera de la Reserva Suma-Paz.

> Nos heredaron algo por cosas de la vida. Crecimos, supimos que había un territorio por allá en Sumapaz que era muy importante por una razón. Cuando el viejo guardabosques, Guillermo, me vio, me dijo: «Es igualito a la patrona».

Guillermo terminó de construir la cabaña de sus padres.

> Hemos heredado ese pedazo de tierra, sabemos lo que vale. Lastimosamente, no soy hombre de campo. No sé trabajar la tierra… Y lo que genera es gastos y agua.
> Todo el peso lo está cargando Manuela Ruiz, hija de Juan Pablo Ruiz, el escalador. Ella se ha responsabilizado porque todos los demás somos mucho más jóvenes e inmaduros. Propusimos volver eso un predio privado. Nuestros padres y tíos y los de Sumapaz eran muy idealistas. Ellos pensaban que esa era tierra de todos, predios comunales… Mi papá dijo, «Si Tomás de Aquino puede tener su *Suma Teológica*, yo puedo tener mi *Suma Paz*».

Actualmente, tiene muy claro que en Sumapaz lo importante es conservar los recursos hídricos y la biodiversidad de la región. La mejor manera es no dejar que entren allá ni vías, ni petroleras, ni nadie… Es decir, lo mismo que plantearon y defendieron Mario, Elsa y los ambientalistas de la reserva.

> En Cabrera, algunos me reconocen y confían en mí. A veces dicen, «Es el hijo de Mario, debe tener algo interesante que decir....». ¡Uy, qué presión!

En 2019, Iván se graduó de la carrera de Sociología en la Universidad Javeriana con una tesis titulada *El efecto de la deshumanización del conflicto en el páramo Sumapaz 1995-2000*. Esta investigación le permitió conocer y familiarizarse sobre las complejidades de la zona de Sumapaz.

Iván ha asumido su papel como víctima de la violencia. Sin embargo, quiere ser reconocido como «un victimizado empoderado y no como una víctima simplemente». Reconoce la responsabilidad que recae sobre él porque él fue acogido por una red que le otorgó las herramientas para «adquirir propósito y dirección en la vida». Iván se ha sumado a varias iniciativas por la paz y la recuperación de la verdad. En un evento de la Comisión de la Verdad en noviembre del 2019 hizo un llamado vehemente a otras personas que comparten su situación:

> A otros huérfanos del conflicto armado les trato de decir: he vivido algo similar a ustedes y les afirmo que pueden hablar de la guerra con la autoridad de haberla vivido. Ser una «víctima» es ser también un agente más potente en la comprensión y discusión del conflicto. ¿Que si pueden hacer algo diferente a los demás actores? Claro que pueden. Así que, ¿por qué no hacerlo?... Las víctimas somos el encarnamiento de la memoria. ¿Cómo llevaremos esa memoria y esa carga que heredamos? Como nación y grupo de humanos está en nuestras manos dejarle a la historia del mundo un ejemplo de cómo se lleva esta carga.

Actualmente Iván realiza un posgrado en Economía en la Universidad Javeriana. Además, inició un documental sobre la vida y obra de sus padres. El audiovisual intenta recopilar las acciones que desarrollaron en todos los frentes y dar a conocer su obra a través de entrevistas con sus amigos, colegas y compañeros. El próximo proyecto es viajar a Francia invitado por amigos de vieja data de sus padres. Parte del plan incluye visitar Longo Maï, retomando los pasos de Mario en busca de recomponer y descomponer la leyenda que se ha tejido a su memoria.

En un lugar de Sumapaz, entre montañas y valles poblados de frailejones y espeletias, en medio de la niebla del páramo, se filtra un rayo de sol con un viento fresco que emite un mensaje en forma de murmullo:

Dulce es la guerra para los que no la hacen.
Dulce es la vida para los que no la viven.
Dulce es el amor para quienes no lo practican.
Dulce es la tierra para los que no la poseen.
Dulce es también la muerte para los que no la sufren.

—Mario Calderón

FUENTES Y REFERENCIAS

Libros y artículos

Alvarado, Elsa Constanza. «La paz en la espiral del silencio». *Signo y Pensamiento*. Facultad de Comunicación y Lenguaje. Universidad Javeriana. N.º 29, 1996. Rep. *Mario y Elsa hoy y siempre.* Bogotá, D.C.: Cinep-Antropos. Pp. 73-80.

Alvarado, Elsa Constanza. «Comunicación política y proceso de paz en Colombia». *Mario y Elsa hoy y siempre.* Bogotá, D.C.: Cinep-Antropos. Pp. 108-116.

Barón de Calderón, Elsa. «La guerra de la información». *Cien Días.* Cinep. Marzo, 1993.

Barón, Luis Fernando. *Mario y Elsa, hoy y siempre.* Bogotá, D.C.: Cinep-Antropos. 1998. Pp. 242-243.

Behar, Olga. *El clan de Los Doce Apóstoles.* Bogotá, D.C.: Icono, 2011.

Borrero, Camilo (ed.). *Mario y Elsa: hoy y siempre.* Bogotá, D.C.: Cinep-Antropos, 1998.

Cano, Claudia. «A los cultivadores de agua les dieron en el corazón». *Mario y Elsa, hoy y siempre.* Bogotá, D.C.: Cinep-Antropos. 1998. Pp. 198-199.

Calderón, Mario. «Urrá: otro elefante blanco». *Cien Días.* Cinep.

Calderón, Mario. *Conflictos en el catolicismo colombiano.* Bogotá, D.C.: Ediciones Antropos, 2002.

Calderón, Mario. «Suma-Paz: Suma Final». *Mario y Elsa hoy y siempre.* Bogotá, D.C.: Cinep-Antropos. Pp. 152-162.

Calderón, Mario. «Tan verdadero como una planta». *Mario y Elsa, hoy y siempre.* Bogotá, D.C.: Cinep-Antropos. 1998. Pp. 150-151.

Calderón, Mario, bajo seudónimo Pedro Crespo. «Córdoba: descentralización y guerra sucia». *Intercambio.* N.º 2, mayo-junio de 1990.

Calderón, Mario. «El derecho a la herejía». *El último garfio.* Bogotá, D.C.: Antropos. 1997.

Centro Nacional de Memoria Histórica. *Justicia y paz: tierras y territorios en las versiones de los paramilitares.* Bogotá, D.C.: 2012.

Cinep. *Por una utopía posible: 20 años del asesinato de Mario Calderón, Elsa Alvarado y Carlos Alvarado. 19 de mayo Día Nacional contra la Impunidad.* Programa por la Paz. Bogotá, D.C.: mayo de 2017.

Coronado, Santiago. «Recuerdos de Elsa Alvarado». *El Tiempo*, p. 5b. 25 de mayo de 1997. Rep. *Mario y Elsa, hoy y siempre.* Bogotá, D. C.: Cinep-Antropos. 1998. Pp. 180-181.

De Obregón, María Antonia; Everett, Margaret y Ramírez, Nelson. «Boceto para un retrato de Mario Calderón». *Voz en la memoria.*

Galeano, Eduardo. *Memoria del fuego I. Los nacimientos.* México, D. F., Madrid, Bogotá, D. C.: Siglo XXI, 1982.

Galvis, Silvia. «Mario Calderón y Elsa Alvarado». *Mario y Elsa, hoy y siempre.* Bogotá, D.C.: Cinep-Antropos. 1998. Pp. 178-179.

Giraldo, Javier. «Mario Calderón: un enamorado de la libertad». Palabras pronunciadas en las exequias. 21 de mayo de 1997. *Mario y Elsa, hoy y siempre.* Bogotá, D. C.: Cinep-Antropos. 1998. Pp. 167-170.

Giraldo, Javier. «Mario y Elsa. *In Memoriam*: Veinte años de asombrosa impunidad».

Isaza, Marisol; Restrepo, Catalina y Perea, Martín Emilio. *Medio ambiente y paz.* Asociación Reserva Natural Suma-Paz. Bogotá, D.C.: Corporación Ecofondo. 1998.

Lichilín, Ana Alejandra. «Tatsirâ Trua: Los embera, entre el Sinú y Bogotá». *Revista Nova et Vetera.* Publicación del Instituto de Derechos Humanos Guillermo Cano de la ESAP. Enero-marzo de 2001.

Molano Bravo, Alfredo. «Bárbara violencia». *Mario y Elsa, hoy y siempre.* Bogotá, D. C.: Cinep-Antropos. 1998. Pp. 176-177.

Ramírez, Socorro. «Asesinados defensores de paz». *Mario y Elsa, hoy y siempre.* Bogotá, D. C.: Cinep-Antropos, pp. 186-188.

Roca, Juan Manuel. «Pequeño manifiesto contra la impunidad». *Mario y Elsa, hoy y siempre.* Bogotá, D. C.: Cinep-Antropos. 1998. Pp. 255-256.

Romero, Tatiana. «A Elsa Alvarado, veinte años después». Programa por la Paz. Cinep. 9 de mayo de 2017. *Por una utopía posible.* 20 de mayo de 1017.

Ronderos, María Teresa. *Guerras recicladas: una historia periodística del paramilitarismo en Colombia.* Bogotá, D. C.: Aguilar, Penguin Random House, 2014.

Ronderos, María Teresa. *Retratos del poder.* Bogotá, D. C.: Planeta-Semana, 2002.

Saavedra, Rosario. Mario Calderón y Elsa Alvarado. *Revista Cien Días Vistos por Cinep.* N.º 60. Abril de 2007.

Sánchez, Ángela. «El obispo y la negra: una suma de paz», en *Mario y Elsa, hoy y siempre*. Bogotá, D. C.: Cinep-Antropos. 1998. Pp. 173-175.

Silva Schlesinger, Santiago. *Paisajes inadvertidos: miradas a la guerra en Bogotá*. Centro de Memoria, Paz y Reconciliación. Alcaldía Mayor de Bogotá. 2019.

Torres Lugo, Jaime. «Mario Calderón, un paisa que murió por la paz». *Mario y Elsa, hoy y siempre*. Bogotá, D. C.: Cinep-Antropos. 1998. Pp. 193-196.

Watkins, Peter W. *La creación*. Biblioteca Científica Salvat.

Hemeroteca (periódicos y revistas)

«Asesinados investigadores del Cinep». *El Tiempo*. 20 de mayo de 1997.

«Sentida despedida a dos investigadores del Cinep». *El Tiempo*. 21 de mayo de 1997.

«Conexión Chía». *Cromos*. 2 de junio de 1997.

«Crimen y Castigo». *Semana*. 15 de junio de 1998.

«Elsa Alvarado y Mario Calderón». *Hijas e Hijos por la Identidad y la Justicia contra el Olvido y el Silencio —Hijos*. Bogotá, D. C. 15 de enero de 2015. http://hijosbogota.org/index.php/recordar-con-el-corazon/galeria-de-la-memoria/item/53-elsa-alvarado-y-mario-calderon

«Condenan a José Miguel Narváez por chuzadas del DAS». *Semana*. 26 de julio de 2016. https://www.semana.com/nacion/articulo/chuzadas-del-das-jose-miguel-narvaez-es-condenado/483396/

«Nueva condena contra Narváez es un retroceso para la verdad sobre el asesinato de Jaime Garzón». ABC de los derechos humanos. Colectivo de Abogados José Alvear Restrepo —Cajar. 26 de julio de 2019. https://www.colectivodeabogados.org/?Nueva-condena-contra-Narvaez-es-un-retroceso-para-la-verdad-sobre-el-asesinato

«Los asesinatos de Jaime Garzón, Mario Calderón y Elsa Alvarado ya son crímenes de lesa humanidad». *Fundación para la Libertad de Prensa*. 30 de septiembre de 2016. https://flip.org.co/index.php/es/informacion/noticias/item/2016-los-asesinatos-de-jaime-garzon-mario-calderon-y-elsa-alvarado-ya-son-crimenes-de-lesa

«El edificio Colombia: Los asesinos de Garzón fueron, a su vez asesinados para cegar las pistas». *Semana*. 16 de septiembre de 2016. https://www.semana.com/opinion/articulo/antonio-caballero-el-edificio-colombia/494057

«Los consejeros de los 'paras' según Don Berna». *Portal Verdad Abierta.* 15 de febrero de 2012. https://verdadabierta.com/paramilitares-don-berna-colombia-pedro-juan-moreno/

«Mario Calderón y Elsa Alvarado, investigadores del Cinep». *Portal Verdad Abierta.* 17 de octubre de 2009. https://verdadabierta. com/mario-calderon-y-elsa-alvarado-investigadores-del-cinep/

«El paso lento de la justicia tras 20 años del asesinato de Elsa y Mario». *Portal Verdad Abierta.* 22 de mayo de 2017.

«Las confesiones de Don Berna». *El Espectador.* 7 de diciembre de 2015. https://www.elespectador.com/noticias/judicial/las-confesiones-de-don-berna/

Artículos firmados

Caballero, Antonio. «Paramilitares». *Semana.* 25 de mayo de 1997. Rep. en *Mario y Elsa, hoy y siempre.* Bogotá, D. C.: Cinep-Antropos. 1998. Pp. 189-190.

Calderón, Iván. «Tengo derecho a conocer la verdad». *El Espectador.* 25 de mayo de 2019.

Calderón, Iván. «Ser una 'víctima' es ser también un agente más potente en la comprensión y discusión del conflicto». *Arcadia.* 11 de noviembre de 2019.

Cardona Álzate, Jorge. «El Ejército se inclina al poder civil». *El Espectador.* 23 de febrero de 1997.

Guerrero, Arturo. «Milenio Tres». *El Colombiano.* 18 de agosto de 1997. Rep. En *Mario y Elsa, hoy y siempre.* Bogotá, D. C.: Cinep-Antropos. 1998. Pp. 209-210.

González Navarro, Catalina. «La historia del sacerdote asesinado por las AUC». *El Espectador.* 1.º de junio de 2014. https://www.elespectador.com/noticias/nacional/la-historia-del-sacerdote-asesinado-por-las-auc/

Mallarino Botero, Gonzalo. «La guerra sucia y el miedo». *El Espectador.* 31 de mayo de 1997.

Navarrete, Pablo. «El Aro: la historia detrás de la masacre». *Consejo de Redacción.* 22 de mayo de 2020.

Restrepo, Javier Darío. «Una escaramuza de la guerra sucia». *El Espectador.* 22 de mayo de 1997.

Romero, Tatiana. «A Elsa Alvarado, veinte años después...» *Cinep.* 24 de abril de 2017. https://www.cinep.org.co/Home2/component/k2/item/421-a-elsa-alvarado-veinte-anos-despues.html

Documentales y foros

Morris, Hollman y Felipe Sinesterra, productores. «Asesinato de Elsa Alvarado y Mario Calderón del Cinep». *Documental Contravía* I y II. 2004.

«Mario Calderón y Elsa Alvarado: 15 años de impunidad». *Canal Capital*. 22 de mayo de 2012.

Evento de memoria Mario y Elsa. *Facebook Live*. Centro de Memoria, Paz y Reconciliación. 19 de mayo de 2020.

Martha Cecilia García, productora. «Mario y Elsa viven. #Contra la impunidad». *Youtube*. 19 de mayo de 2020.

Declaraciones

Arcila Vásquez, José Alirio. Declaración del 12 de mayo de 1999.

Murillo Bejarano, Diego, *Don Berna*. Declaración ante la Unidad Nacional de Justicia y Paz. 12 y 13 de febrero de 2012.

Murillo Bejarano, Diego. Tribunal Superior de Medellín. Sala de Justicia y Paz. 21 de junio de 2016.

Mancuso, Salvatore. Declaración ante la Unidad Nacional de Justicia y Paz. 10 de abril de 2008.

Veloza García, Herber. Declaración ante la Unidad Nacional de Justicia y Paz. 20 de noviembre de 2008.

Documentos

Decreto 356 del 11 de febrero de 1994: la norma que daría el aval para que se creara el Estatuto de Vigilancia y Seguridad Privada, que sería recordada en la historia como el inicio de «las Convivir». Decreto firmado por el presidente César Gaviria.

Declaración de Crimen de Lesa Humanidad. Dirección de Fiscalía Nacional de Derechos Humanos y Derecho Internacional Humanitario. 10 de mayo de 2017.

Sentencia condenatoria de José Miguel Narváez Martínez por Concierto para delinquir agravado por la promoción y organización del G3. Juzgado sexto del Circuito Especializado de Bogotá. 18 de julio de 2016. http://www.derechos.org/nizkor/colombia/doc/das364.html#N_26_

Entrevistas

Elvira María Alvarado. 18 de junio de 2018.

Nohora Alvarado. 10 de julio de 2018.

Carlos Enrique Alvarado. 7 de mayo de 2020.

Carlos Roberto Alvarado. 12 de septiembre de 2020.
Iván Calderón Alvarado. 18 de julio de 2019. Sucesivas comunicaciones.
Inés Calderón (texto WhatsApp) junio-julio de 2020.
José Ricardo Alvarado. Noviembre de 2019 y comunicaciones por correo.
Consuelo Pabón Alvarado. 1.º de diciembre de 2019. Sucesivas comunicaciones.

Alejandro Angulo. 16 de julio de 2019.
Javier Giraldo. 18 de julio de 2019.
Fernán González. 18 de julio de 2019.

Juan Guillermo Gaviria. 12 de agosto de 2018, 20 de noviembre de 2018 y 5 de septiembre de 2020.
Camilo Borrero. 21 de noviembre de 2018.
María del Rosario Saavedra. 19 de noviembre de 2018.
Marco Raúl Mejía. 22 de julio de 2020.
Carlos Salgado. 15 de julio de 2020.
Leopoldo Múnera. 25 de febrero de 2020.
Yolanda Zuluaga. 22 de enero de 2021.
Inés Sendoya. 23 de enero de 2021.
Ángela Sánchez. 26 de enero de 2021.
María Cristina Alvarado. 27 de enero de 2021.

Luz González. 8 de noviembre de 2018.
María Helena Rodríguez. 28 de julio de 2020.
Tatiana Romero. 11 de julio de 2020.
Juanita Rivera. 12 de julio de 2020.
Claudia Ángel. 11 de agosto de 2018.
Catalina Restrepo. 21 de noviembre de 2018.
Marisol Isaza Ramos. 24 de junio de 2019.
María Eugenia Vásquez. 18 de junio de 2019.

Gustavo Gallón y Sergio Ocazionez. 21 de noviembre de 2018.
Cristian Peñuela. 30 de enero de 2019.
Sergio Ocazionez. 22 de mayo de 2020.
Pablo Navarrete. 6 de julio de 2020.
Claudia Mendoza. 20 de enero de 2020.
Juan Manuel Navarrete. 10 de enero de 2020.
Mario Viecco. 20 de enero de 2020.

Mario y Elsa, hasta siempre

Este libro se terminó de imprimir en
los talleres gráficos de Imageprinting ltda.
mediados de mayo de 2021,
Bogotá, D. C., Colombia.